漢詩酔談

酒を語り、詩に酔う

串田久治・諸田龍美　著

大修館書店

読者の皆様へ

本書は、酒を詠《よ》んだ漢詩（飲酒詩）三十首について、気ままに語り合った対談集です。各篇の冒頭には、その詩のキャッチコピーと、タイトル、詩人、詩の書き下し文と原文、現代語訳を示しています。「漢詩」を読んでから「対談」を読んでいただいてもよいですし、あるいは、先に「対談」を読んでいただいてもかまいません。そんな風に、気軽に読んでいただけるよう心がけました。漢字は基本的に新字体を使用し、ふりがなも多めに付けてあります。一部分しか紹介できなかった長い詩については（部分）と記し、末尾の「付録」に全詩を掲載しました。

本書は、二〇一〇年六月から『酒文化』（酒文化研究所発行）に連載している「漢詩酔談」が元になっています。「漢詩酔談」は同研究所の山田聡昭氏が名付け親で、今回、書名に使用することを快諾してくださいました。ありがとうございます。また、話題にのぼった日本のお酒に対して、写真の掲載に快くご協力くださいました酒造会社のかたがた、中国酒の写真撮影にご協力くださった中国のかたがたに、この場をお借りして厚くお礼申し上げます。

二〇一五年四月二一日　串田久治・諸田龍美

目次

カバー・本文イラスト
山本重也

一　宴のはじまり

まずは酒を楽しむ極意を、中国最古の詩集から学びましょう。気の合う仲間も、お客さんも、みんな一緒に「和《なご》やかに楽しく」飲めば、お酒もいっそう美味しいはず。

和楽——おもてなしの心

鹿鳴《ろくめい》（部分）　『①詩経《しきょう》』

②呦呦《ゆうゆう》として鹿鳴《しかな》き
野《の》の芩《きん》を食《く》らう
我《わ》れに嘉賓《かひん》有《あ》り
③瑟《しつ》を鼓《こ》し琴《きん》を鼓《こ》す
瑟《しつ》を鼓《こ》し琴《きん》を鼓《こ》し
和楽《わらく》すること且《か》つ湛《ふか》し
我《わ》れに旨《うま》き酒《さけ》有《あ》り
以《もっ》て嘉賓《かひん》の心《こころ》を燕楽《えんらく》す

呦呦鹿鳴
食野之芩
我有嘉賓
鼓瑟鼓琴
鼓瑟鼓琴
和楽且湛
我有旨酒
以燕楽嘉賓之心

①中国最古の詩歌集。紀元前一一〇〇年から前六〇〇年ごろの歌が収められている。この詩は周王朝の宴席でうたわれたもので、全三章あるうちの第三章。全詩は巻末一九二頁。
②鹿の鳴き声。仲間を呼ぶ声。
③「瑟」は、二十五弦から五十弦の大型の琴。「琴」は、五弦から十三弦。

3　鹿鳴

ユウユウと　鹿は鳴き
友を集め　野《の》の草を食べる
わが御殿にも　お客様を招き集め
瑟《しつ》を鳴らし琴《きん》を鳴らして　おもてなし
麗《うるわ》しい演奏を　お楽しみいただき
和《なご》やかに心ゆくまで　ご歓談あれ
とっておきの旨酒《うまざけ》を　ご用意しました
存分に　宴《うたげ》をお楽しみくだされ

◇◇◇◇◇◇◇◇◇◇◇◇◇◇

諸田　三千年程前の、④周《しゅう》王朝の歌です。明治政府が建てた⑤鹿鳴館《ろくめいかん》、その名の元になった詩です。

串田　「日本は文明国だ」とアピールするために、国家の威信を賭《か》けて建てた洋館ですね。

諸田　外国からのお客様を「おもてなし」する社交場ですから、さぞかし豪華絢《けん》

④武王が殷《いん》王朝（前十七世紀～前十一世紀）を倒して立てた王朝（前十一世紀～前三世紀）。

⑤明治政府は、日本が文明国であることを示そうと、外国使節を接待するための社交施設としてこれを建設し、明治十六年（一八八三）に完成。欧化政策の象徴であるこの洋館は、昭和十五年（一九四〇）に取り壊された。

爛《らん》だったことでしょう。

串田　この「鹿鳴」も、周の王宮で賓客《ひんきゃく》をもてなすときの歌ですね。

諸田　ええ。「呦呦《ゆうゆう》として鹿鳴《しかな》き……」という歌詞で始まるので……。

串田　それで「鹿鳴」ね。でも、宮廷の宴会で演奏する歌なのに、鹿なんておかしくない？

諸田　おかシカない！

串田　……（絶句）。

諸田　まあ、奈良公園にも鹿いますし……。

串田　春日大社《かすがたいしゃ》ね。鹿⑥は神のお使い、というか、象徴でしょう？

諸田　そういえば、日本酒には鹿のつく銘柄が多いですよね。もしかしたら、「鹿鳴」に因《ちな》んででしょうか？

串田　そうそう、「春鹿《はるしか》」っていう奈良の銘酒があったかと……。

諸田　ペアの鹿が描かれているお酒でしょう？

春鹿
（今西清兵衛商店提供）

⑥古代中国で鹿が神秘化されたことに影響され、日本では鹿は春日神社のお使いの「神鹿《しんろく》」となった。

⑦縁起のよい動物。古代中国では、麒麟《きりん》や鳳《ほう》凰《おう》、龍などを吉祥（吉兆）として好んだ。鹿もそれに類する。

⑧前二十一世紀〜前十七世紀ごろの中国最古の王朝。伝説上の王朝とみなされていたが、近年の考古学的発掘によって、その実在が確認されつつある。

⑨夏王朝から周王朝の人。初めて酒を造ったとされ、儀狄が発明し

串田　いかにも「めでたい！」っていう感じで、お祝いの席にうってつけ。

諸田　鹿は中国でも「⑦瑞獣《ずいじゅう》」なんです。草を見つけても独《ひと》りでは食べず、必ず友を呼んで食《しょく》する動物だと。

串田　ヘエー、詩のモチーフにぴったり。ところで、中国で酒が生まれたのは、周よりはるか前の⑧夏《か》王朝ですよね？

諸田　⑨儀狄《ぎてき》や杜康《とこう》が作ったとか……。

串田　儀狄が夏王朝の⑩禹《う》王に献上したとか。そんなことをいう史料もありますが、どこまでホントですかね？

諸田　はっきりとはわかりませんが、四千年ほど前の、青銅《せいどう》の酒器が発掘されているんですから、周以前に、すでに酒があったことは確実でしょう。

串田　そういえば、「⑪酒池肉林《しゅちにくりん》」の故事、あれも周王朝の前の⑫殷《いん》王朝の話です。

諸田　「酒《さけ》を以《もっ》て池《いけ》と為《な》し、肉《にく》を縣《か》けて林《はやし》と為《な》す」……、なんという贅沢《ぜいたく》！

串田　やったのは帝王です。庶民にはムリムリ！

諸田　なにしろ離宮のあちらこちらに「酒の池」を作り、周《まわ》りの林には肉をぶら

杜康が改良したともいわれる。
⑩伝説上の聖王。夏王朝の始祖。治水事業を成し遂げ民を安寧に導いた功績により、尭《ぎょう》から帝位を譲られたといわれる。禹王は「この陶然とさせる美味な飲み物（酒）によって国を滅ぼす者が出ることだろう」と語り、儀狄を遠ざけたという（『戦国策』魏策）。
⑪日夜酒色に耽《ふけ》り、民を虐《しいた》げること。『史記』殷本紀《ほんぎ》に「酒を以て池と為《な》し、肉を縣《か》けて林と為し、男女をして倮《はだか》にし、其の間に相い逐《お》

さげて、そこで裸の男女に追いかけっこさせて、徹夜で宴会したっていうんですからねえ。

串田　うらやましいですか？

諸田　も・ち・ろ・ん！

串田　あなたも亡国の徒《と》ですなあ。酒池肉林の快楽に耽《ふけ》った⑬紂王《ちゅうおう》は、けっきょく殷王朝を滅ぼしてしまいましたよ。

諸田　家庭を壊さぬよう気をつけます……。

串田　で、その殷を滅ぼしたのが周王朝。後世、理想の王朝とされています。

諸田　今回とりあげた『詩経』は、中国最古の詩集ですが、ここでも、周王朝の詩は、特別あつかいされています。

串田　この詩のように、ステキな演奏と、とっておきの銘酒《めいしゅ》で友人をもてなせば、酒の旨《うま》さも格別というもの。

諸田　「共に飲み、共に楽しむ」のは中国文化の真髄《しんずい》ですから。

串田　「共食《ともぐい》」はダメですよ！

わしめ、長夜の飲を為す」とある。

⑫湯王が夏王朝を倒して立てた王朝（前十七世紀〜前十一世紀）。

⑬殷の第三十代皇帝。夏王朝の桀《けつ》王とともに「桀紂」と並び称せられ、暴君の代名詞となっている。周の武王によって滅ぼされた。

諸田　「友と飲み、友と楽しむ」、ですね？

串田　友人との共飲《きょういん》共食《きょうしょく》は、今でもコミュニケーションに欠かせません。

諸田　それに、この詩では「和楽《わらく》」という言葉が効《き》いています。

串田　酒は「和《なご》」やかに、友と「楽」しむのが一番と？

諸田　はい！　酒池肉林はいけません。

串田　国民から搾《しぼ》り取った税金を湯水のように使って、挙げ句に国を滅ぼしたんですからね。

諸田　和やかに楽しむ「和楽」の精神。これって、旨い酒を飲むための極意《ごくい》かもしれません。

串田　お互い酒で身を滅ぼすことのないように……。

諸田　気をつけないといけませんね（笑）。

串田　では、「和楽」の精神で、お酒を楽しみましょう！

諸田　漢詩も楽しみましょう！

二人　乾杯！

おつまみ――①儀狄《ぎてき》と杜康《とこう》

中国で初めて酒を造ったとされる伝説上の人物。古来、酒の異名にもなっており、それぞれの名を冠した白酒《バイジウ》が今も造られている（「鹿鳴」５頁参照）。

◀▲中国の商店で売られている「儀狄」と「杜康」

▶日本にも「杜康」という名の焼酎がある

（AUTHORITYstyle 提供）

二　酒のよろこび

酒に強かったり弱かったり。詩人それぞれに、お酒の楽しみ方があります。豪勢な宴席を好む詩人もいれば、ひとり朝酒を楽しむ白楽天もいる。李白は、酒造り名人や妻へ宛てて、ユニークな詩を詠《よ》んでいます。

今を楽しむ——中国的快楽主義

①西門行《せいもんこう》（部分）

漢代楽府《がふ》

楽《たの》しみを為《な》すに逮《およ》べ
楽《たの》しみを為《な》すに逮《およ》べ
当《まさ》に時《とき》に及《およ》ぶべし
何《なん》ぞ能《よ》く愁《うれ》い②怫鬱《ふつうつ》として
当《まさ》に復《ま》た③来茲《らいじ》を待《ま》つべけんや
美酒《びしゅ》を醸《かも》し
肥牛《ひぎゅう》を炙《あぶ》らん
請《こ》う　心《こころ》に懽《よろこ》ぶ所《ところ》を呼《よ》び
用《もっ》て憂愁《ゆうしゅう》を解《と》く可《べ》し

逮為楽
逮為楽
当及時
何能愁怫鬱
当復待来茲
醸美酒
炙肥牛
請呼心所懽
可用解憂愁

①城郭の西門は、歓楽街の門。「行」は「歌」の意。全詩は巻末一九五頁。
②気が滅入《めい》り心がふさがること。
③来年。「茲」は「年」の意。

11　西門行

今こそ楽しもう
今こそ楽しもう
チャンスを逃すな
くよくよするな
来年まで待つなんてごめんだね
とびきり美味《うま》い酒を用意して
霜降《しもふ》り肉をジュウジュウ焼こう
気の合う仲間　呼び集め
憂《う》さも愁《うれ》いも　忘れよう

諸田　これ、漢代の楽府《がふ》④の一節ですよね？

串田　「西門《せいもん》を出《い》でて／歩《あゆ》みつつ之《こ》れを念《おも》う（西の門を出て、歩きながら思ったんだ）」で始まる、「詠《よ》み人知らず」の詩です。

諸田　「今日《こんにち》　楽《たの》しみを作《な》さざれば／当《まさ》に何《いず》れの時《とき》をか待《ま》つべき（今日楽しまな

④中国各地から集められた民間の歌や、それをまねて作られた歌謡体の詩のこと。漢代初期にはメロディーにのせて歌われた。

いで、いつまで待てというのか)」と続きますね。

串田　二千年ほど前ですから、お酒は民間にもすっかり定着していました。

諸田　日本は弥生《やよい》時代ですが、もう酒を楽しむ習慣はあったんでしょうか？

串田　確か、米を醸造《じょうぞう》して酒を造ったという記録は、日本では⑤『播磨国風土記《はりまのくにふどき》』が最初だったと思います。

諸田　ということは奈良時代、八世紀……。

串田　でも、『三国志《さんごくし》』魏志倭人伝《ぎしわじんでん》には、⑥「倭《わ》の人は生まれつきの酒好きだ」とありますから……。

諸田　ご先祖さまは三世紀には酒を嗜《たしな》んでいたわけですね？

串田　たぶん。もっと遡《さかのぼ》れば、倭《わ》の奴《な》の国王が、⑦光武帝《こうぶてい》から「漢委奴国王《かんのわのなのこくおう》」という⑧金印を賜《たまわ》ったのが西暦五七年でした。

諸田　そのときにも酒が振る舞われたでしょうね。

串田　まさに、この「西門行」の時代です。

金印（福岡市博物館所蔵）

⑤奈良時代に記された播磨国《はりまのくに》（兵庫県南西部）の地誌（国情の報告書）。

⑥三世紀末に書かれた『三国志』魏書・東夷《とうい》伝（通称「魏志倭人伝」）に「（倭《わ》の）人、性《せい》として酒を嗜《たしな》む」とある。

⑦漢《かん》王朝を再興して後《ご》漢王朝を建てた劉秀（在位二五〜五七年）。

⑧後漢の光武帝が倭の奴国の使者に下賜《かし》したと伝えられる金印。

諸田　案外、そのときの使者が初めて日本に酒を持ち帰っていたりして。
串田　それはともかく、この詩を読むと、早くも当時の中国人は、酒で人生をしっかり「哲学」していますね。
諸田　このあと、「人生《じんせい》は百《ひゃく》に満《み》たざるに／常《つね》に千歳《せんざい》の憂《うれ》いを懐《いだ》く」と続きます。
串田　どんなに長生きしても百年、それなのに千年先のことまで心配するなんてナンセンス、と。
諸田　そして、「なに言うてんねん、アホちゃうか！　もっと酒飲んで、楽しまなあかんで！」と続きます。
串田　で、「昼《ひる》は短《みじか》く夜《よる》の長《なが》きに苦《くる》しむ／何《なん》ぞ燭《しょく》を乗《と》りて遊《あそ》ばざる」とくる。
諸田　「人生は短いんや、夜通し酒を飲もうやないか！」と。
串田　下手な関西弁（笑）。
諸田　もしかして、これを地《じ》で行ってません？
串田　若いころはともかく、今そんなことしたら一家離散ですよ。
諸田　確かに（笑）。おそらく「夜を徹して飲む」というのはレトリックでしょう。

『後漢書』東夷伝に「建武中元二年、倭の奴《な》国、奉貢して朝賀す。使人は自ら大夫と称す。……光武、賜うに印綬《いんじゅ》を以てす」とあり、この「印綬」が金印であるという。博多湾北の志《し》賀島《かのしま》から出土した。

串田　明日はどうなるかわからない、だからこそ、楽しめるときに楽しめ、というんですね。
諸田　美味《うま》い酒が手に入ったら、仲間と一緒にトコトン飲んで楽しくやろう！
串田　もったいないから取っておこうなんて、ケチなこと考えるなってことです。
諸田　詩は「遊行《ゆうこう》して去《ゆ》き去《ゆ》くこと雲《くも》の除《のぞ》かるるが如《ごと》くせん」と結びます。この人生観、実にいいなあ！
串田　遊びたおした後は、天空から雲が消え去るように人生を終《お》えればよい、と……。
諸田　潔《いさぎよ》いし、粋《いき》です！
串田　深みもあります。元気で酒が飲めるっていうのは、生きている証《あかし》、喜びの象徴なんですから。
諸田　酒だけではありませんね。
串田　旅行でも同じです。
諸田　「お金と時間の余裕ができてから」なんて絶対ダメ！

串田　そのときには、もう体力がなくなってますから。

諸田　「人生は短い、だから、楽しめるときに楽しもう」、そういう力強い主張がありますね。

串田　楽しみを先に延ばすな、ってことです。

諸田　冒頭にいう「楽《たの》しみを為《な》すに逮《およ》べ、当《まさ》に時《とき》に及《およ》ぶべし」ですね。

串田　そう！　「今こそ楽しもう、チャンスを逃すな」です。

諸田　こういう人生観、漢詩には実に多い。

串田　まさに「中国的快楽主義」です。

諸田　日本人の私も大賛成！

串田　世界中の人が共感しますよ、きっと。

諸田　大いに学びましょう！

串田　「とびきり美味い酒」を飲みながら、ですね？

諸田　「霜降り肉」もお願いします（笑）。

酔っぱらってこそ

酔中《すいちゅう》の作《さく》　①張説《ちょうえつ》

酔後《すいご》　方《まさ》に楽《たの》しみを知《し》り
弥〻《いよいよ》未《いま》だ酔《よ》わざる時《とき》に勝《まさ》る
容《すがた》を動《うご》かせば　皆《み》な是《こ》れ舞《ま》い
語《ことば》を出《い》だせば　総《すべ》て詩《し》と成《な》る

酔ってこそ　楽しみがわかるのさ
しらふでいるより　はるかに良い
身体《からだ》　動かせば　そのまま舞踊《ダンス》
言葉　出《い》だせば　そのまま詩歌《ポエム》

酔後方知楽
弥勝未酔時
動容皆是舞
出語総成詩

①六六七〜七三〇年。初唐〜盛唐の政治家・詩人。洛陽の人。則天武后の時代に科挙に合格。中宗・睿宗《えいそう》・玄宗に仕え宰相を歴任した。三百五十首の詩が現存する。高木重俊『張説』（大修館書店・あじあブックス）に詳しい。

②貧しく身分の低い家柄をいう。

串田　今回は「ヨッパライの詩」ですね。

諸田　いえいえ、「酔いの楽しみ」を詠《うた》った詩です。

串田　張説って、私には詩人というより、政治家としてのイメージのほうが……。

諸田　確かに、有名詩人とはいえません。

串田　ですよね？　②寒門《かんもん》出身の宰相《さいしょう》として、歴史に名を残していますが、詩人としてはイマイチ……。

諸田　でも、③玄宗《げんそう》皇帝の宮廷詩人のなかでは、彼は筆頭格なんですよ。

串田　そうですか？　当時、宮廷詩人といえば、やはり李白④でしょう？

諸田　もちろん李白は有名ですが、張説は李白よりも四半世紀前、玄宗皇帝の前半期に活躍しました。

串田　確か、玄宗皇帝がまだ皇太子のときに教育係をしていましたね。

諸田　⑤武則天《ぶそくてん》（則天武后）のときから仕えていて、女帝が失脚しても生きながらえた人物です。

串田　⑥歴史書によれば、人間的にはあまり芳《かんば》しい評価はありませんね。

③六八五～七六二年、在位七一二～七五六年。唐の第六代皇帝・李隆基。「明皇《めいこう》」とも呼ばれるが、治世の後半には楊貴妃《ようきひ》を溺愛し、安史の乱を招いた。

④「内に贈る」二八頁注①参照。

⑤中国史上唯一の女帝（在位六九〇～七〇五年）。姓は武、名は曌《しょう》。後宮の女官であったが高宗の皇后となり、帝の死後、実子の中宗・睿宗《えいそう》を廃立。自ら帝位に就き国号を周《しゅう》と定めた。クーデターで唐が再興した後に病死。

⑥例えば『資治通鑑《しじつがん》』

諸田　上昇志向が強く、貪欲で策謀家だ……などと、悪評も少なくありません。

串田　成り上がりの典型ですな。

諸田　⑦『枕中記《ちんちゅうき》』という小説があるでしょ？

串田　貧乏青年が、旅枕の夢の中で、立身出世して宰相《さいしょう》になる話ね。

諸田　失脚や左遷も経験しますが、最後には皇帝の絶大な信任を得て、八十余歳の天寿を全《まっと》うして人生を終える……。

串田　まさにチャイニーズ・ドリーム！

諸田　夢から醒《さ》めてみると、体験した五十年余の人生は、まだ茶店《ちゃみせ》の飯《めし》が炊《た》きあがらない、束の間の、短い夢の出来事だった。

串田　「邯鄲《かんたん》の夢」、「一炊《いっすい》の夢」とも呼ばれる、有名な話ですね。

諸田　そうなんですが、どうやらこの『枕中記』の主人公には、張説のイメージが重ねられているらしいんです。

串田　それは知らなかった！　つまり、小説のモデルになるくらい、話題性に富んだ人物だったわけね、張説は？

開元十四年の条に「（張）説、才智ありて賄《わい》を好む」とあり、『開元天宝遺事《かいげんてんぽういじ》』上に「国政輔佐の才があったが、嘘偽りが多く、賄賂を貪《むさぼ》った」という。『新唐書《しんとうじょ》』張説伝では、開元期の元勲として高く評価され、毀誉褒貶《きよほうへん》が相半ばする。

⑦中唐の沈既済《しんきさい》（生没年未詳）が書いた伝奇小説。開元年間の邯鄲《かんたん》（河北《かほく》省）が舞台。主人公は盧生《ろせい》という青年。「盧生の夢」「邯鄲の枕」などともいう。

諸田　出世願望は人一倍強かったようですが、良くいえば才気とエネルギーに満ちあふれていたわけで……。

串田　だから褒《ほ》める人もいたし、将軍として大きな軍功も挙げ得た。

諸田　そうした、いわば「出る杭《くい》」だっただけに、批判の種はどこにでも見つけられたんでしょう。

串田　玄宗皇帝の信頼は厚かったようですが。

諸田　そのようですね。玄宗皇帝の詔勅文《しょうちょくぶん》（皇帝の命令書）の多くは張説が書いたともいわれていますから。

串田　しかも張説の息子は、玄宗の娘を嫁にもらっているようですね。

諸田　要するに、「⑧開元《かいげん》の治《ち》」と称《たた》えられる、玄宗皇帝の隆盛時代を実現させた、大立《おおだ》て者の一人です。

串田　そんな宮廷詩人が「ヨッパライの詩」を詠《よ》むとは……。

諸田　「酔いの楽しみ」ですって！

串田　ハイハイそうでした、「酔っぱらってこそ酒の楽しみがわかるんだ」とい

⑧玄宗皇帝の開元年間（七一三～七四一）で、唐の絶頂期をいう。第二代皇帝太宗（李世民）の「貞観《じょうがん》の治」（六二七～六三九）と並び称される。

諸田　う詩でしたね？

串田　宮廷詩人としては、天子を讃《たた》える典雅な詩を作らなきゃいけないわけですが、個人としては、別の側面もあるわけです。

諸田　それだけに、この詩には張説の本心がうかがえて、実にほほえましいと思いませんか？

串田　酔っぱらって初めて本音でものが言えるってことですかね。

諸田　それが「語《ことば》を出《い》だせば、総《すべ》て詩《し》と成《な》る」ですね？

串田　私は酔っぱらうと、呂律《ろれつ》が回らなくなるんですが。

諸田　ですよね。それをまた、「容《すがた》を動《うご》かせば、皆《み》な是《こ》れ舞《ま》い」だなんて、ちょっといかっこつけすぎ。

串田　さすがの張説も仕事ではプレッシャーがあって、自分を抑え、言いたいことも言えず、心穏やかではなかったんでしょうね……。

諸田　身につまされますね、お互い。

串田　そうは見えませんが……。

串田　それは眼力が足りません（笑）。

諸田　確かに、「弥々《いよいよ》未《いま》だ酔《よ》わざる時《とき》に勝《まさ》る」という表現には、苦渋の味わいが隠されているかもしれないですね。

串田　人生経験を積んでいないと、実感できないかもしれません。

諸田　だからこそ、「無心に酔える喜び」もひとしおなんでしょうね。

串田　すると、思わず体も動き出して舞踊《ダンス》したくなる！

諸田　リズムにのって、言葉も自然と詩歌《ポエム》になる！

串田　酔っぱらって千鳥足のわれわれとは大違い。

諸田　あやかりたいですねえ。

串田　ムリでしょう。

諸田　リズム感ないですからねえ、われわれ（笑）。

朝酒の効用

卯時《ぼうじ》の酒《さけ》（部分）①

②白楽天《はくらくてん》

仏法《ぶっぽう》は醍醐《だいご》を讃《ほ》め
仙方《せんぽう》は沆瀣《こうがい》を誇《ほこ》る
未《いま》だ如《し》かず　卯時《ぼうじ》の酒《さけ》の
神速《しんそく》にして功力《こうりょく》の倍《ばい》するに
一杯《いっぱい》　掌上《しょうじょう》に置《お》き
三嚥《さんえん》して腹内《ふくない》に入《い》る
煦《あたた》かなること　春《はる》の腸《ちょう》を貫《つらぬ》くが若《ごと》く
喧《あたた》かなること　日《ひ》の背《せ》を炙《あぶ》るが如《ごと》し

仏法讃醍醐
仙方誇沆瀣
未如卯時酒
神速功力倍
一杯置掌上
三嚥入腹内
煦若春貫腸
喧如日炙背

①全詩は巻末一九七頁。
②七七二～八四六年。中唐の代表的詩人、白居易《はくきょい》。楽天は字《あざな》。河南省鄭《てい》州の人。その作品を集めた『白氏文集』は、平安朝文学にも大きな影響を与えた。

醍醐《ヨーグルト》をありがたがるのは　仏教
夜半《やはん》の露《つゆ》を自慢するのは　仙人
けれど　朝酒にはかなわない
神業《かみわざ》のように迅速で　効《き》き目も倍
一杯を　手のひらに置き
三口《みくち》で　腹に納めると
まるで　春が腸《はらわた》を貫いて
背中は　太陽でポッカポカ

串田　白楽天のこの詩、私のお気に入りなんです！

諸田　前の張説《ちょうえつ》③「酔中《すいちゅう》の作《さく》」が「ヨッパライ」で、今度は「朝酒」。これじゃ、まるで迎え酒じゃないですか。

串田　しかも、④卯時《ぼうじ》です。

諸田　⑤トラを通り越して朝の六時！

③一六頁。
④二十四時間を十二支で表す古代中国の表記法。午前零時を子《ね》とし二時間ごとに区切る。
⑤酔っぱらいをトラと呼ぶのは「寅《とら》の刻（午前四時）まで飲んでいる者」の意味から、という説がある。

串田　白楽天にも困ったもんだ。

諸田　あなたに言われたくない（笑）。

串田　それにしても、全三十四句ですから長い詩です。

諸田　ここに挙げたのは冒頭部分ですが、酔いとともに、どんどん気宇壮大《きうそうだい》になっていきますね。

串田　しょっぱなからして、「酒のご利益《りやく》に比べたら、仏教も道教も大したことはない」だなんて……。

諸田　この「醍醐《だいご》」って、乳製品ですよね、バターとかチーズのような？

串田　美味で栄養があるので、仏教では「如来《にょらい》の教え」にたとえます。

諸田　いわゆる「⑥醍醐味《だいごみ》」ってヤツですね。「⑦沆瀣《こうがい》」は、霞《かすみ》や露《つゆ》？

串田　仙人の飲食物です。ダイエットにはもってこい、でしょう？

諸田　でも、朝酒と比べたら、醍醐も沆瀣もかたなしですね。

串田　というか、「仏教でも道教でも救われない」なんて、罰当たりです！

諸田　白楽天も、そこまでは言ってないと思いますよ。

⑥仏教では、牛乳の精製を五段階（五味）に分け、「譬《たと》えば牛より乳を出し、乳より酪を出し……熟酥《じゅくそ》より醍醐を出すが如《ごと》く、醍醐は最上なり」（『涅槃《ねはん》経』）という。最も上質で滋養に富むのが「醍醐」なので「仏陀《ぶっだ》の教え」にたとえた。転じて「真髄」「本当の面白さ」を「醍醐味」と称する。

⑦北方の夜半の気。『列仙伝』に「春は朝霞を食し、夏は沆瀣を食す」とある。

串田　でも「神速《しんそく》にして功力《こうりょく》の倍《ばい》する」っていうんですから。
諸田　じゃ、そういうことにしておきましょう（笑）。
串田　だって、酒は⑧「天の美禄《びろく》」、「百薬の長」ですからね。
諸田　わかりました、酒にまさるものはありませんからね。
串田　よろしい！（笑）　ところで、このとき白楽天はいくつだったんですか？
諸田　五十五歳です。
串田　昔ならもう隠居、だから朝酒もできたんですね。
諸田　いえ、白楽天が朝酒を飲み始めたのは四十歳ころからです。
串田　四十歳？　働き盛りに、そんなのアリ？
諸田　もちろん休暇中のはなしですよ。⑨他の詩でもしばしば出てきます。
串田　じゃ、かれは人生半ばにして朝酒に味をしめた……。
諸田　ええ、そういうことになりますね。
串田　日本でも平安時代に朝酒が流行《はや》ったようですが……。
諸田　なんてったって、あこがれの白楽天ですからね。ハイカラな飲み方だと

⑧『漢書』食貨志下に「酒は天の美禄にして、帝王、天下を頤養《いよう》し、享祀《きょうし》して福を祈る。衰を扶《たす》け疾を養う所以《ゆえん》なればなり。百礼の会、酒非《あら》ざれば行われず。……夫《そ》れ塩は食肴《しょくこう》の将、酒は百薬の長、嘉会の好なり」とある。酒には老化予防や疾病治癒の効能があるという。

⑨「卯飲」「橋亭卯飲」「嘗黄醅新酎憶微之」「早飲酔中除河南尹勅到」など、「卯時の酒」を詠う詩は十首以上ある。

思って真似《まね》したんでしょう。

串田　今ならアルコール依存症ですね（笑）。

諸田　でも、思うんですが、昨今のような忙しい時代にこそ、時には朝酒を楽しむ、なんて余裕が、あるべきなのかもしれません。

串田　寝起きの一杯は⑩五臓六腑《ごぞうろっぷ》に染みわたりますしね。

諸田　私は早起きは苦手ですから、朝寝の後に一杯やります。

串田　それじゃまるで⑪小原庄助《おはらしょうすけ》さんじゃないですか。

諸田　〽朝寝・朝酒・朝湯が大好きで……。

串田　あなたも身上《しんしょう》つぶしそうですね。

諸田　大丈夫、つぶす程の財産、ありませんから。

串田　ところで、この後に「当時《とうじ》　形骸《けいがい》を遺《わす》れ／竟日《きょうじつ》　冠帯《かんたい》を忘《わす》る（酒を飲めばこの身も忘れ、イヤな仕事も忘れられる）」とありますね。

諸田　白楽天はこのころ蘇州刺史《しし》、日本でいえば県知事のような仕事を辞めたばかりでした。

⑩人間の内臓全体。古代中国医学の用語。「五臓」とは、肝・心・脾《ひ》・肺・腎。「六腑」とは、胆・小腸・胃・大腸・膀胱《ぼうこう》・三焦。

⑪会津《あいづ》民謡「会津磐梯《ばんだい》山《さん》」のお囃子《はやし》に、「小原庄助さん、何で身上《しんしょう》（財産）つぶした。朝寝・朝酒・朝湯が大好きで、それで身上つぶした。ハアもっともだ、もっともだ」として登場する架空の人物。

串田　それで、「去《ゆ》け　魚《うお》は泉《いずみ》に返《かえ》り／超然《ちょうぜん》として蟬《せみ》は蛻《ぜい》を離《はな》る」と……。

諸田　蟬が殻を脱ぎ捨てるように、魚が水にもどるように、束縛を脱して、本来の居場所に帰ろう、というんですね。

串田　あれこれ考えず、成り行きに任せ、行くも止《と》まるも思いのままに！

諸田　原文では「是非《ぜひ》　分別《ぶんべつ》する莫《な》く／行止《こうし》　疑礙《ぎがい》する無《な》し」。

串田　これからは自分らしい生き方をするぞ、っていう宣言ですね。

諸田　一番大切なのは身心の自由！　そのために、朝酒は素晴らしい効き目があるぞ、と。

串田　朝酒って、そんな効果があるんでしょうかねえ……。

諸田　試してみますか？

串田　そうね、退職した後に、ね（笑）。

諸田　ダメダメ、「善は急げ」ですよ！

串田　ウーン、山の神の目が厳しいもので……。

諸田　じゃ、奥様もご一緒に！

妻への詫び状

内《ない》に贈《おく》る

①李白《りはく》

三百六十日《さんびゃくろくじゅうにち》
日日《ひび》　酔《よ》うて泥《どろ》の如《ごと》し
李白《りはく》の婦《つま》と為《な》ると雖《いえど》も
何《なん》ぞ太常《たいじょう》の妻《つま》に異《こと》ならん

三百六十日
日日酔如泥
雖為李白婦
何異太常妻

おいらは　三百六十日
毎日酔っぱらって　泥のよう
お前は　李白の妻となったのに
これじゃ　太常さんの妻《おんな》と同じだ

◇◇◇◇◇◇

①七〇一～七六二年。盛唐の詩人。西域で生まれ、蜀《しょく》（四川省《しせん》）に育つ。二十代半ばから各地を歴遊。一時は玄宗皇帝の宮廷詩人として活躍したが、周囲の反感を買って離京、放浪の一生を送った。杜甫とともに中国最大の詩人とされ「詩仙」と称される。

諸田　お待たせしました、中国きっての飲んべえ李白の登場です。

串田　「詩仙《しせん》」李白に飲んべえは失礼でしょう。

諸田　いえいえ、讃《たた》えたつもりです。

串田　確かに「②一飲三百杯《いちいんさんびゃっぱい》なるべし！」と豪語してますしね。で、「内《ない》に贈《おく》る」ですが、これって奥さんに贈った詩ですよね。

諸田　はい。ただ、李白は四回③も結婚したので、どの奥さんなのか正確にはわかりませんが。

串田　四回ですか！　いやはや……。

諸田　許さん、劉《りゅう》さん、それから魯《ろ》の婦人、最後が宗《そう》さん。ただし正式に結婚したのは許さんと宗さんの二人で、後は正妻ではなかったようです。

串田　この「内に贈る」詩では「李白《りはく》の婦《つま》と為《な》る」とありますから……。

諸田　最初の奥さんと結婚したばかりのころの作品かもしれませんね。

串田　ということは、三十歳ごろか。そういえば、④白楽天《はくらくてん》⑤にも同じ題の詩がありましたが……。

②李白「将進酒《しょうしんしゅ》」詩に「羊《ひつじ》を烹《に》　牛《うし》を宰《ほふ》りて且《しばら》く楽《たの》しみを為《な》せ／会《かなら》ず須《すべか》らく一飲三百《いちいんさんびゃっ》杯《ぱい》なるべし」とある。

③唐・魏顥《ぎこう》「李翰林《かんりん》集序」に「白《はく》は始《はじ》め許《きょ》に娶《めと》り、一男一女《いちなんいちじょ》を生《う》む。……又《ま》た劉《りゅう》に合《あ》う。劉は訣《わか》る。次《つぎ》に魯《ろ》の一婦《いちぷ》人《じん》に合《あ》い、子《こ》を生《う》み……、終《つい》に宋《そう》（宗）に娶る」とある。

④「卯時の酒」二二頁注②参照。

⑤白楽天「贈内」は、

諸田　「生《う》まれては同室《どうしつ》の親《しん》と為《な》り／死《し》しては同穴《どうけつ》の塵《ちり》と為《な》る」で始まる有名な詩です。李白とはまったく趣《おもむき》がちがいますね。

串田　「偕老同穴《かいろうどうけつ》」ね？　「ひとつ屋根の下で仲むつまじく暮らし、死んだら同じお墓に入ろうね」って、まるでプロポーズの科白《せりふ》（笑）。

諸田　白楽天が三十七歳で結婚したときに、妻に贈った詩ですから。

串田　白楽天は妻への愛の告白、李白は妻への飲酒宣言ですか。

諸田　李白は酒豪で有名ですが、もしこの詩の通りだとすると……。

串田　ほとんどアル中ですね。

諸田　「日日《ひび》　酔《よ》うて泥《どろ》の如《ごと》し」、文字通りの「泥酔《でいすい》」です（笑）。

串田　「泥酔」の「泥」って何だかご存じ？

諸田　えっ？

串田　虫の名前なんですよ。

諸田　まさか！

串田　⑥ものの本によると、中国の南方に生息する「骨のない虫の名」です。

白楽天が元和《げんな》三年（八〇八）三十七歳で結婚した際、妻に贈った作品。妻の楊氏は白楽天の親友の従妹であるが、名前・年齢ともに未詳。おそらく十歳以上若かったと思われる。

⑥宋・呉曽『能改斎《のうかいさい》漫録』巻七に「稗官《はいかん》小説に『南海に虫有《あ》り。骨無し。名づけて泥《でい》と曰《い》う。水に在れば則《すなわ》ち活《い》き、水を失えば則ち酔うがごとく、一堆《いったい》の泥《どろ》の如《ごと》く然《しか》り』と」とある。実は「虫」は動物の総称。たとえば「裸《ら》虫」とは人間のこと。

諸田　「虫」って、昆虫の「虫」ですか？

串田　実際にいるのかどうかわかりませんが、「水中では活発だけれど、水から出ると積まれたドロのようになる虫」とあります。

諸田　それが「泥酔」の語源……。

串田　「酔っぱらいとは、骨のない虫」、ちょっと情けない（笑）。

諸田　いえいえ、「泥酔」にも由緒《ゆいしょ》がある、ということです。

串田　それはともかく、そんな泥虫《どろむし》のように毎日酔っぱらえるなんて……。

諸田　我が家じゃなかなか。

串田　我が家でもムリ。間違いなく追い出されます。

諸田　李白の奥さんはエライ！

串田　でも、結局は追い出されたんですかね？

諸田　長続きはしませんよね、やっぱり（笑）。

串田　ところで、後半の「太常《たいじょう》」ですが……。

諸田　宮中で天子の祖先を祭る役人のことです。

串田　後漢《ごかん》の周沢《しゅうたく》のことですか？

諸田　はい。周沢が宗廟《そうびょう》（みたまや）の祭りをしていて、あるとき病気になり、妻が心配してやってきたんですが、周沢は「お前のせいで穢《けが》れた！」と言って怒った、というエピソードがあります。⑦

串田　それで、「割に合わぬは太常の妻」？

諸田　「一年三百六十日、そのうち三百五十九日は禊《みそ》ぎする。残った一日は酔いつぶれて泥のよう」と人々がうたったそうです。

串田　なんてひどいヤツだ！　ってことね。

諸田　太常は超カタブツで、李白は真逆ですが……。

串田　妻をないがしろにしている、という点では同じですね。

諸田　そんな「ダメ亭主」ぶりに、自分でツッコミを入れているところが、実にほほえましい。

串田　しかし、たいていの女性は憤慨するでしょうねえ。

諸田　ところが、中には「そこがいい！」っていう女性もいるようなんです。

⑦『後漢書』儒林伝下に「（周沢は）清潔《せいけつ》にして循行、敬を宗廟に尽くす。常《かつ》て疾《やまい》に斎《さい》宮に臥《ふ》す。其の妻、沢の老病を哀れみ、闚《うかが》いて苦しむ所を問う。沢、大いに怒り、妻の斎禁を干《お》犯《か》せるを以て、遂に収《とら》えて詔獄に送りて謝罪せしむ。当世、其の詭激《きげき》なるを疑《あや》しむ。時人、之《こ》れが為《ため》に語《つ》げて曰く、『世に生まれて諧《かな》わず、太常の妻と作《な》る。一歳三百六十日、三百五十九日は斎《ものいみ》す』と」とある。注に引く『漢官儀』によれば、この後に「一日は斎せ

ずして酔うこと泥の如し」が続くという。

串田　それはまたどうして？

諸田　これだけ身勝手にふるまう男なら、女性にも自由を許してくれそうだから、というんです。

串田　「亭主元気で留守がいい」って発想ですね。

諸田　確かに李白は、しょっちゅう旅にも出ていましたし。

串田　でも、この詩は奥さんを気づかっているようにも読めますよね？

諸田　妻への感謝、ですか？

串田　ええ。だってこの詩は奥さんにプレゼントした詩なんですから。

諸田　「いつもこんなボクで悪いね」という謝罪の気持ちも……。

串田　それじゃ、われわれと同《おんな》じですね。

諸田　「何《なん》ぞ李白の妻《つま》に異《こと》ならん」、身につまされます。

串田　気をつけましょうね、お互い……。

諸田　追い出されないように（笑）。

酒造り名人への挽歌

戴老《たいろう》の酒店《しゅてん》に題《だい》す

①李白《りはく》

戴老黄泉下
還応醸大春
夜台無李白
沽酒与何人

戴老《たいろう》 ②黄泉《こうせん》の下《もと》
還《ま》た応《まさ》に大春《たいしゅん》を醸《かも》すべし
夜台《やだい》に李白《りはく》無《な》きに
酒《さけ》を沽《う》りて何人《なんぴと》にか与《あた》う

酒造り名人　戴じいさんは　もういない
あの世で　銘酒「大春」を　造っている
あの世にゃ　李白はいないのに
いったい　誰に売るつもり

◇◇◇◇◇◇◇

①「内に贈る」二八頁注①参照。

②死者の魂が行く地下の世界。世界は「木・火・土・金・水」の五要素から成るとする五行《ごぎょう》思想では、「土」は五色（青・赤・黄・白・黒）の「黄」に配当されるため「黄泉《こうせん》」という。日本で「黄泉《よみ》」と読むのは、日本神話で死者の世界をいう「よみ」にこの漢語を借りたもので、語源はまったく違う。

串田　「戴じいさんの酒屋に書き付けた詩」ですね？

諸田　はい。たぶん李白の行きつけの店でしょう。

串田　そこの主人の「戴じいさん」が亡くなり、その死を悼《いた》んで詠《よ》んだ詩、ということでしょうか？

諸田　ええ、詩の題を「宣城《せんじょう》の善醸紀叟《ぜんじょうきそう》を哭《こく》す」とするテキストもありますから、そう理解して問題ないと思います。

串田　「宣城（安徽《あんき》省）」って、李白が晩年によく訪れた街ですね。

諸田　はい。「善醸紀叟」は、「酒造り名人の紀じいさん」という意味です。この詩題だと、亡くなった紀じいさんを悼《いた》んで詠んだ詩、ということになります。

串田　戴じいさんにせよ、紀じいさんにせよ、酒屋の主人への思いがつまっていますね。

諸田　それに、李白の寂しさも伝わってきます。

串田　二人とも、酒造りの名人で……。

現代版「大春」だという密州春

諸田　そのじいさんたちが造っていたのが、銘酒「大春」なんです。

串田　中国には、「春」の字がついた銘酒が多いですよね。「老春《ろうしゅん》」、「土窟春《どくつしゅん》」、「石凍春《せきとうしゅん》」、「焼春《しょうしゅん》」……。

諸田　さすが酒豪！　シュゴーイ！　どれも唐代の銘酒ばかりです。

串田　オヤジギャグは結構です。それより、蘊蓄《うんちく》を傾けるのはこれくらいにして、そろそろ酒杯を傾けませんか？

諸田　ダジャレのご返杯？　まあ一献《いっこん》、なんとなく冷えてきましたし……。

串田　で、どうして「春」のつく銘酒が多いか、ご存じ？

諸田　春といえば、四季の始めですよね。

串田　そう、陽気が③兆《きざ》してくる季節です。

諸田　ポカポカ、暖かい……。

串田　草木は芽生え、万物が一斉に生まれ出て、衰えた生命力が回復する季節。だからお酒を「春」に喩《たと》えるのではないかと。

諸田　どうりで、いつのまにか私も、胃のあたりがポカポカ暖まってきました、

③陰陽《いんよう》思想では、陰と陽の消長によって四季の変化を説明する。春に兆した陽気は、春分を経て夏至《げし》に極まり、一方、秋に兆した陰気は、秋分を経て冬至《とうじ》に極まる、とされた。

春みたいに。

串田　「回春」の効能をうたう酒もありますね。

諸田　「④三鞭酒《さんべんしゅ》」なんて酒もあります。「若返り、回春の酒」です。

串田　それはそうと、日本酒には、「春夏秋冬」全部そろっています。

諸田　へエー、そうでしたか。きっと、日本人は季節に敏感で、それぞれの季節に合った酒を造るのが好きだったからでしょうね。

串田　それがどうも、四季すべてであることはあるんですが、調べてみると、あまり多くはないんです。

諸田　じゃあ、「季節に敏感だから」は撤回します（笑）。

串田　そろそろ、李白の詩に戻りましょう。三句目の「夜台《やだい》」ですが……。

諸田　はい、「屋台」で一杯、ですね（笑）？

串田　だいぶご酩酊《めいてい》ですな。「夜台」というのは「あの世」のことですよ。

諸田　そういえば、墓穴《はかあな》のことも「長夜《ちょうや》の台《だい》」といいますね。

串田　「死」は「長夜の眠り」ですから。

④牛・羊・狗《いぬ》の三鞭（性器）を配合した醸造酒（白酒）。滋養強壮・精力回復に効果があるとされる。

諸田　あの世にせよ墓穴にせよ、「夜台」というのは、二度と光が射さない「常《とこ》夜《よ》の世界」というイメージなんですね。

串田　でも、この詩には、名人の死を悼《いた》みながらも、湿っぽいところがまったくありません。

諸田　美辞麗句を並べた弔辞なんかより、ずっと気が利《き》いてる。

串田　深い愛情さえ感じます。

諸田　こよなく酒を愛した李白ですから、かの名人の死は、よほどこたえたはずですけれども。

串田　日本人の弔辞って、だいたい「湿っぽい」ですから、こういう「明るい弔辞」は不謹慎にうつるかもしれません。

諸田　そうですね。まるで「名人の死を悼む」より、旨《うま》い酒が飲めなくなったのを悲しんでいるみたいですから。

串田　李白は酒造り名人に、「オレこそがお前の最も良き理解者だぞ」って、言っているんだと思うんです。

諸田　この詩はおそらく晩年の作品ですから、李白としては……。

串田　そうか！　じゃ、「オレを置いてひとりで逝《い》って、さぞかしお前も寂しいだろう。オレも近いうちにそっちへ行くから、またあの『大春』を飲ませろよ」ですね？

諸田　じいさんも答えます、「たくさん造って待ってるから、お前さんもさっさと来いよ。夜台で一杯やろうぜ」って。

串田　酒造り名人と大酒飲み、二人は名コンビだったんでしょう。

諸田　周りもうらやむほどの、ね。

串田　でも待ってくださいよ。ということは、やっぱり李白は「じいさんを悲しむ」んじゃなくて、「美酒が飲めなくなったのを惜しんでる」ってこと？

諸田　何しろ銘酒「大春」ですから！

串田　まさか。いくらなんでも、イジワルです。

諸田　夜台で李白に会ったら確認しておきましょう。

串田　手土産に日本酒をお忘れなく（笑）。

ダンディズム

長安道《ちょうあんどう》　儲光羲《ちょこうぎ》①

鞭《むち》を鳴《な》らして酒肆《しゅし》に過《よぎ》り
袨服《げんぷく》して倡門《しょうもん》に遊《あそ》ぶ
百万《ひゃくまん》　一時《いちじ》に尽《つ》くすも
情《じょう》を含《ふく》みて片言《へんげん》無《な》し

鳴鞭過酒肆
袨服遊倡門
百万一時尽
含情無片言

◈◈◈◈◈◈

ベンツでクラブに乗り付けて
ブランドスーツでホステス遊び
百万円を　一夜《いちや》で使い
てんで気にせぬ　セレブたち

①七〇七？～七五九？盛唐の詩人。兗州《えん》（山東省兗州）の人。開元十四年（七二六）の進士。安禄山の乱で罪に問われて嶺南（広東省）に流され、その地で没した。詩風は素朴で田園詩を得意とした。

諸田　今回は儲光羲《ちょこうぎ》の「長安道」です。

串田　李白②《りはく》や杜甫③《とほ》ほど有名ではありませんが、やはり盛唐④の詩人ですね。

諸田　はい。詩題の長安（現在の西安）は、言わずと知れた、唐王朝の首都。

串田　八世紀の当時、人口百万の大都市だったとか。

諸田　イスラーム帝国の首都バクダード（現在のイラクの首都）と並ぶ、世界最大級の国際都市でした。

串田　当時の長安は、シルクロードも含めて、東アジア交通網の拠点でしたから。

諸田　西はバクダードや、さらにコンスタンチノープル（東ローマ帝国の首都。今のイスタンブール）にもつながっていました。

串田　「長安道」は、その大都会の繁華街、メイン・ストリートですね？

諸田　市場や歓楽街もあって、いわば世界の富が集まってくる場所です。

串田　銀座のような街を想像すればいいわけだ。

諸田　そう思って、今回は訳文もちょっと遊んでみました。

串田　実に面白い、名訳です！　井伏鱒二⑤《いぶせますじ》も顔負けです（笑）。

②「内に贈る」二八頁注①参照。

③「惜しむ可し」七二頁注①参照。

④唐代の文学史は、通常「初唐・盛唐・中唐・晩唐」の四期に区分される。「盛唐」は、玄宗皇帝の先天元年（七一二）から代宗の永泰元年（七六五）までの約五十年間をいい、唐詩の黄金期とされる。

⑤一八九八～一九九三。広島県出身の小説家。代表作に広島の被爆者の苦悩を描いた『黒い雨』がある。

諸田　馬ニムチウチサカヤヲスギテ
　　　綾《あや》ヤ錦《にしき》デヂヨロヤニアソブ
　　　タツタイチヤニセンリヤウステテ
　　　カネヲツカツタ顔モセヌ

串田　これまた名調子ですね。

諸田　「サカヤ（酒屋）」「ヂヨロヤ（女郎屋）」という言葉には、昭和初期の香りがしますね。

串田　⑥『厄除《やくよ》け詩集』の初刊は、昭和十二年（一九三七）ですから。

諸田　第一句「鞭《むち》を鳴《な》らして酒肆《しゅし》に過《よぎ》り」というのは、馬に乗った金持ちの若者《ボンボン》が徒党を組んで、銀座や六本木のような盛り場に繰《く》り出す様子です。

串田　庶民はみんな徒歩でした。その上になるとロバ。馬に乗れるのは、貴族や官僚、それから、そのどら息子たち。

諸田　同じような若者《ボンボン》が、後出の李白「少年行」⑦にも、登場してきます。

串田　「五陵《ごりょう》の年少《ねんしょう》　金市《きんし》の東《ひがし》／銀鞍《ぎんあん》　白馬《はくば》　春風《しゅんぷう》を渡《わた》る」ね。

⑥『厄除け詩集』は、井伏自身の創作詩と漢詩の「訳詩」から構成されている。本書では、于《う》武陵《ぶりょう》「酒を勧む」一八五頁でも井伏訳を紹介している。

⑦一二二頁。

諸田　いずれにしても、金に糸目をつけないセレブたち……。
串田　でなきゃ「袨服《げんぷく》して倡門《しょうもん》に遊《あそ》ぶ」なんてことできません！
諸田　ブランド服で身を固め、高級クラブで美人ホステスとイチャイチャする……。
串田　ケシカラン！
諸田　ウラヤマシイ！
串田　しかも「タツタイチヤニセンリヤウステテ」なんて……。
諸田　どぶに捨てるようなもんだ！
串田　羨《うらや》ましいんじゃなかった？
諸田　そうでした（笑）。でも、一晩で百万もの大金を使い果たしておきながら、「カネヲツカツタ顔モセヌ」ですから、いい、しゃくに障《さわ》ります。
串田　「情《じょう》を含《ふく》みて片言無《へんげんな》し」ですね？
諸田　顔色ひとつ変えず、ひと言も恨み言なし、っていうんですから、どういう輩《やから》かと……。

串田　バブル期ならともかく、今の日本じゃ考えにくいですかね。
諸田　いるんじゃないですか、銀座あたりに今も。
串田　そもそも銀座には縁がないので……。
諸田　私だって同じです！　でも、今の中国なら結構いそうです。
串田　おそらく、井伏も、こうした一種の豪快さというか、男気《おとこぎ》が気に入ったんでしょう。
諸田　しかしですね、最終句の「情《じょう》を含《ふく》み」は、「感情を面《おもて》に出さずに」という意味ではあるんですが……。
串田　本心は違う、と？
諸田　請求書を見てビックリしたのに、周りの目があるから平気な顔を装ってるだけかも。
串田　「いい格好しすぎた！」って後悔してる？
諸田　「見栄《みえ》なんか張るんじゃなかった！」って。
串田　私にも経験があります！

諸田　ミー・トゥー（笑）。でも、それを顔に出さないのが男伊達《おとこだて》……。
串田　ダンディズムね。
諸田　「しまった！」とか「クソ！」とか、顔に出しちゃ男がすたる。
串田　庶民ですなあ、お互い！
諸田　ケチくさいですね、われわれの発想は。
串田　どうしてそんな見栄《みえ》張っちゃうんでしょうかね……。
諸田　あるいは、大都会が持つ魔力かもしれませんよ。
串田　確かに、都会にはいろいろと魔物が棲《す》んでいますからね。魔窟《まくつ》も多いし……。
諸田　危ない、危ない！
串田　気をつけなきゃね（笑）。

悪酔《わるよ》い

金山寺《きんざんじ》にて柳子玉《りゅうしぎょく》と飲《の》み大酔《たいすい》す（部分）①

蘇東坡《そとうば》②

悪酒《あくしゅ》は悪人《あくにん》の如《ごと》く
相《あ》い攻《せ》むること刀箭《とうせん》よりも劇《はげ》し
一榻《いっとう》の上《うえ》に頽然《たいぜん》とし
之《こ》れに勝《か》つに戦《たたか》わざるを以《もっ》てす
詩翁《しおう》　気《き》　雄抜《ゆうばつ》に
禅老《ぜんろう》　語《ご》　清軟《せいなん》なり
我《わ》れ酔《よ》うて都《すべ》て知《し》らず
但《た》だ覚《おぼ》ゆ　紅緑《こうりょく》の眩《くるめ》くを

悪酒如悪人
相攻劇刀箭
頽然一榻上
勝之以不戦
詩翁気雄抜
禅老語清軟
我酔都不知
但覚紅緑眩

①全詩は巻末二〇一頁。
②一〇三六～一一〇一年。宋を代表する文人。名は軾《しょく》、字《あざな》は子瞻《しせん》、また和仲。号は東坡居士《こじ》。眉山《びざん》（四川省眉山県）の人。新法《しんぽう》を断行した王安石（注⑥参照）と衝突、都の開封《かいほう》（河南省）を離れ各地の知事を歴任した。政局が変化して中央の要職に就いたが、五十九歳のとき、新法党の復権により恵州（広東省）に流罪、さらに海南島に流された。六十六歳で許され都へ帰る途次、常州（江蘇省）で病没。

悪い酒は　まるで悪人のよう
刀《かたな》より矢《や》より激しく　私を攻めたてる
仕方ない　ベッドの上に　ぐったり倒れ
悪酔《わるよ》いに　勝つため　無抵抗を決め込む
老詩人の柳《りゅう》さんは　元気いっぱい
老禅師の宝《ほう》さんも　高尚なお話
私は　酔っぱらって　何もわからず
赤や緑がグルグル廻《まわ》る　見えたのは　それだけ

◇◇◇◇◇◇◇◇◇◇◇◇◇◇◇◇◇

諸田　今回は、ちょっと趣向を変えて、蘇東坡の「悪酔い」の詩です。

串田　悪趣味！　いただけませんね、この話題。

諸田　思い出したくない過去があるとか？

串田　閑話休題《それはさておき》、詩題の③「金山寺《きんざんじ》」って、鎮江《ちんこう》（江蘇《こうそ》省）の名刹《めいさつ》ですよね？

諸田　金山寺味噌《みそ》のふるさとです。

③鎮江（江蘇省）北西の金山にある禅寺。宋代以後、文人が好んで訪れた。

串田　あれはもともと④径山寺《きんざんじ》味噌で、杭州《こうしゅう》（浙江《せっこう》省）の禅寺に由来します。

諸田　冗談です（笑）。

串田　蘇東坡には「⑤金山寺に遊ぶ」という七言《しちごん》詩もありますね。

諸田　「試《こころ》みに絶頂《ぜっちょう》に登《のぼ》りて郷国《きょうこく》を望《のぞ》めば／江南江北《こうなんこうほく》　青山《せいざん》多《おお》し」の句で有名な詩です。

串田　「金山寺に遊ぶ」は熙寧《きねい》四年（一〇七二）十一月三日の作だとわかっているので、そうすると杭州に左遷された年ですね？

諸田　左遷というか、⑥王安石の新法に反対したため中央に居づらくなって、杭州（浙江省）に赴任し、その途中で金山寺に立ち寄ったわけです。

串田　金山寺で⑦柳子玉と飲んだこの詩も、そのときの作ですか？

諸田　いいえ。この詩は、その三年後、出張で立ち寄ったときの作品です。

串田　いずれにせよ、このあたりの神経、われわれも見習うべきですね。

諸田　地方に追いやられてもめげない、めげない！

串田　めげないどころか、知己《ちき》と酒を飲んで酔っぱらうとは、見上げたもんです！

④径山興聖万寿禅寺。南宋の寧宗が建立した五山の一つ。ここで造られた味噌を、鎌倉時代に僧が持ち帰り、日本でも食されるようになったという。

⑤弟の蘇轍《そてつ》と潁州《えいしゅう》で別れた蘇軾は、淮河《わいが》、江沢湖から大運河を下って揚州に、そこから長江をわたって対岸の鎮江に至った。そこで金山寺に立ち寄り、この詩を詠んだ。

⑥王安石（一〇二一～一〇八六）は、北宋第六代皇帝神宗（在位一〇六七～一〇八五）のときの宰相。政治家・

諸田　確かに強さがありますよね、逆境をしなやかに乗り切ってゆく……。

串田　そういえば、杭州に向かう際、弟の子由《しゆう》（蘇轍《そてつ》）に贈った詩⑧にも、「人生《じんせい》に別離《べつり》無《な》くんば／誰《たれ》か恩愛《おんあい》の重《おも》きを知《し》らん」とありましたね。

諸田　人生には「別離」がある、だからこそ、恩愛の情がいかに大切で重いものか、理解できるんだと……。

串田　つまり、「別離」というマイナスを、プラスに転換しちゃう。

諸田　逆転の発想、たくましい解釈力です！

串田　ところで、この詩題、「⑨宝覚《ほうがく》の⑩禅榻《ぜんとう》に臥《ふ》す。夜分《やぶん》に方《はじ》めて醒《さ》め、其《そ》の壁《かべ》に書《しょ》す」と続きます。

諸田　金山寺を訪れた蘇東坡は、そこで友人と飲むんですが、酔いつぶれて、坊さんのベッドで眠り込んでしまい……。

串田　気付いたら、もう夜だった。

諸田　あなたの場合は、電車で眠り込み、気付いたら終点だった（笑）？

串田　酔いつぶれたのは蘇東坡です！

詩人・文人として著名。

北宋の財政難を克服し富国強兵を実現するために、新法と呼ばれる急進的政治改革を断行した。後に保守派の反対にあって辞職、余生を南京で過ごした。「元日」一一六頁参照。

⑦柳瑾《りゅうきん》（?〜?）、字《あざな》は子玉。呉（今の蘇州市）の人。王安石と同年に科挙に合格しており、蘇軾よりは先輩。鎮江に家があったらしい。子の柳仲遠は、蘇軾の従妹と結婚した。

⑧「潁《えい》州にて初めて子由に別る　其の二」。

⑨禅僧の名。

諸田　冗談はともかく、「悪酒《あくしゅ》は悪人《あくにん》の如《ごと》く／相《あ》い攻《せ》むること刀箭《とうせん》よりも劇《はげ》し」
というのは、実に言い得て妙ですね。

串田　悪酔いって、頭やら胸やら締めつけられて、ホント苦しいですから……。

諸田　今のひと言、リアリティーがありました。

串田　蘇東坡は下戸《げこ》ではないけど、あまり酒は強くなかったんでしょ？

諸田　ええ、⑪別の文でも「吾《わ》れ酒《さけ》を飲《の》むこと至《いた》って少《すく》なし」と言っています。

串田　「往往《おうおう》にして頽然坐睡《たいぜんざすい》す」ともありますね。

諸田　飲むと、すぐ眠ってしまう質《たち》だったんでしょう。

串田　酒の詩はあんなにたくさん作ってるのにねえ……。

諸田　酒の詩はいっぱい、飲む方は一杯（笑）。

串田　だから、堪《たま》らず戦線を離脱してベッドに横になっちゃう……。

諸田　このあと、詩では、詩題に出てくる飲み仲間の柳子玉が、禅僧の宝覚《ほうがく》と、
元気に歓談を続けているんですよ。

串田　一方、蘇東坡はというと、「我《わ》れ酔《よ》うて都《すべ》て知らず／但《た》だ覚《おぼ》ゆ紅緑《こうりょく》の眩《くるめ》

⑩禅定《ぜんじょう》（仏教の修行）に用いる長椅子。

⑪「陶の飲酒二十首に和す」と題する詩の序文。「陶の飲酒に和す」九九頁注⑦参照。

くを」ですね。

諸田　酔っぱらって何もわからず、ただ目の前で赤や緑がグルグル廻《まわ》って……。

串田　これ、完全に泥酔⑫ね。

諸田　早々と退散して勝ちを狙ったわけですが、完敗ですね、これでは。

串田　アー、飲んだ酒が悪いのか、飲んだ相手が悪いのか！

諸田　詩の最後には、目覚めると、「二豪《にごう》は倶《とも》に見《み》えず」、二人の酒豪はそこにはいなかった、とあります。

串田　目が覚めたら、置いてきぼり……。これまた、あちこちでよくありそうな光景ですね。

諸田　でもね、蘇東坡は「悪酒」といいますが、悪酔いって、なにも酒が悪いんじゃないでしょう？

串田　大人の飲み方じゃなかったんですね、結局。

諸田　汚名《おめい》を着せられた酒にとっては、迷惑な話です。

串田　いや、ホント（笑）。

⑫「内に贈る」三〇頁参照。

上戸《じょうご》と下戸《げこ》

飲酒《いんしゅ》　其の十三

①陶淵明《とうえんめい》

客有《きゃくあ》り　常《つね》に同《とも》に止《お》るも
②取舎《しゅしゃ》　邈《ばく》として境《さかい》を異《こと》にす
一士《いっし》は　長《つね》に独《ひと》り酔《よ》い
一夫《いっぷ》は　終年《しゅうねん》醒《さ》めたり
醒《せい》と酔《すい》と　還《ま》た相《あ》い笑《わら》い
発言《はつげん》　各〻領《おのおのりょう》せず
規規《きき》たるは　一《いっ》に何《なん》ぞ愚《おろ》かなる
兀傲《こつごう》なるは　差〻《やや》穎《すぐ》れるが若《ごと》し

有客常同止
取舎邈異境
一士長独酔
一夫終年醒
醒酔還相笑
発言各不領
規規一何愚
兀傲差若穎

①三六五～四二七年。東晋の隠逸詩人・田園詩人。名は潜、字《あざな》は淵明。一説に、名は淵明、字は元亮《げんりょう》。江州（江西省九江市）尋陽《じんよう》郡柴桑《さいそう》県の人。四十一歳のとき郷里に近い彭沢《ほうたく》県の長官となったが、上級官庁の監査官を礼装して出迎えるよう促され、「吾《わ》れ五斗米《ごとべい》の為《ため》に腰を折る能《あた》わず（私は薄給のために上司に媚《こ》びることなどできない）」と言って辞職した（『晋書』陶潜伝）。「帰りなん、いざ」ではじまる「帰去来《ききょらい》の辞《じ》」は、このときに生まれた。

言《げん》を寄《よ》す　酣中《かんちゅう》の客《きゃく》に
日没《ひぼっ》せば　燭《しょく》　当《まさ》に炳《とも》すべし

寄言酣中客
日没燭当炳

いつもつるんでいる　二人の男
やることなすこと　正反対
ひとりは　常に酔っぱらい
ひとりは　年中しらふでござる
しらふと酔っぱらいと　談笑するが
たがいの話　まるで通じない
小心翼翼《しょうしんよくよく》は　何とも愚か
酔いつぶれてるほうが　まだしも賢明
そこで　ご機嫌の酒好きに　一言《いちごん》献上
「日が暮れたら灯《あか》りをともして歓を尽くせ」

② 「取捨」は、「取ること」と「捨てること」。「舎」は「捨」に同じ。「邈」は遠い。取捨選択、出処進退が遠く隔たっていること。

串田　いよいよ陶淵明「飲酒」のご登場です。

諸田　「飲酒」は二十首の連作で、すべて取り上げたいところですが……。

串田　確かに。でも、そうすると陶淵明の「飲酒」二十首だけでページが尽きてしまいます。

諸田　ごもっとも。でもまあ、ここまで「飲酒」にこだわった詩人は、陶淵明が最初ですね。

串田　「序文」[3]には、酔っぱらった後で、「お笑いぐさ」に作ったとありますね。

諸田　「秋の夜長、取り立てて楽しみもないので、夜毎《よごと》つれづれに影法師を相手に酒を飲み、酔っぱらって作った」とあります。

串田　私なんぞは、少しアルコールが入ったほうが筆が進みますが、酔っぱらってはとてもとても……。

諸田　お酒が入ると、頭は柔らかくなりますけどね。

串田　入りすぎるとグニャグニャです。

諸田　陶淵明は「夕《ゆう》べとして飲《の》まざる無《な》し」、毎晩飲んでたっていうんですから、

[3] 巻末二〇三頁参照。

串田　とても真似できません。
諸田　第一、経済的に破綻《はたん》します。
串田　わが家では、その前に追い出されます。
諸田　で、今回は「其の十三」、下戸《げこ》が登場しますね。
串田　上戸《じょうご》と下戸とがいつも一緒にいるという、面白い設定です。
諸田　一緒にはいるけど、「発言《はつげん》　各〻領《おのおのりょう》せず」と……。
串田　ええ、話をしてもまったくかみ合わない。
諸田　この相反するキャラクターって、陶淵明の心の葛藤の象徴じゃないかな。
串田　葛藤ですか？
諸田　「規規《きき》（小心翼翼）」の「一夫」と、「兀傲《こつごう》（泰然自若）」の「一士」、その間で揺れ動く心境です。
串田　しかし、陶淵明は明らかに、酔いどれ「一士」に軍配を挙げていますよ。
諸田　官界への未練を捨てる決意を、自らに促《うなが》しているんじゃありません？
串田　我慢《がまん》して息苦しい宮仕え生活を続けるか、それとも、閑居して飲酒の喜び

　　を満喫して生きるか……。
串田　われわれの悩みでもあります。
諸田　いえ、私はためらうことなく後者をとります！
串田　私も同じです！
諸田　ただ、陶淵明の生活、ずいぶん貧窮していたようです。
串田　たとえ経済的に苦しくても、陶淵明は「酣中《かんちゅう》の客《きゃく》（酔っぱらい）」にエールを送るんです。
諸田　「日没《ひぼっ》せば　燭《しょく》　当《まさ》に炳《とも》すべし」、日が暮れたら灯《あか》りをともして飲み続けよう、ですもんね。
串田　まさに④「昼《ひる》は短《みじか》く夜《よる》の長《なが》きに苦《くる》しむ／何《なん》ぞ燭《しょく》を乗《と》りて遊《あそ》ばざる」、限りある人生、せいぜい楽しもうじゃないか、と。
諸田　われらに送られたメッセージ！
串田　酒飲みに送られたエール！
諸田　でも、実は、陶淵明の「飲酒」には、ちょっと違う要素も含まれているよ

④「古詩十九首　其の十五」に「生年は百に満たざるに／常に千歳《せんざい》の憂いを懐《いだ》く／昼は短く夜の長きに苦しむ／何ぞ燭を乗《と》りて遊ばざる／楽しみを為すは当《まさ》に時に及ぶべし／何ぞ能《よ》く来茲《らいじ》を待たん／愚者は費《つい》えを愛惜し／但《た》だ後世の嗤《わら》いと為るのみ／仙人王子喬《おうしきょう》／与《とも》に期を等しくす可《べ》きこと難《かた》し」とある。

串田　うに思います。
諸田　ただの飲んべえじゃないと？
串田　はい。陶淵明だって昼間は農作業に勤《いそ》しんでいたわけで……。
諸田　朝から晩まで酒浸《びた》り、ではなかったでしょうからね。
串田　ですから、夜になったら酒を飲んで、本来の自分を取り戻そうとするんです。酒を飲むことは、「自己回復」の象徴なんですね。
諸田　だとすると、小心翼翼の「一夫」は、俗事にとらわれて、本来の自分を見失っている、「自己喪失」人間だと？
串田　ええ。そう考えると、陶淵明の詩はよく理解できるように思います。
諸田　じゃ、ソロソロわれわれも、本来の姿に戻りませんか？
串田　了解！　では一献《いっこん》傾けましょう。
諸田　「灯りをともして」、ね？

おつまみ――②白酒《バイジウ》の醸造〈1〉

（山東省臨沂《りんき》市蘭陵《らんりょう》県の白酒工場）

中国酒は、高粱《ガオリャン》などの穀物を原料とする蒸留酒「白酒《バイジウ》」と、米を原料とする醸造酒「黄酒《ファンジウ》」に大別される。

▶原料の高粱などを蒸す蒸籠《せいろう》

▲蒸した原料を醗酵《はっこう》菌がいる土の穴「窖《こう》」に埋めて醗酵させる。百年以上も使い続けられた古いものは「老窖」とよばれる。

（写真提供：酒文化研究所）

⇒108ページへ続く

三　あこがれの陶淵明

自由を求めて、人生の半ばで役人生活を捨て、ふるさとの田園で「農耕と飲酒と詩作」の日々を過ごした陶淵明は、後世のあこがれの的《まと》。多くの詩人たちが、彼を慕う詩をのこしています。

酒の前ではみな平等

山中《さんちゅう》にて幽人《ゆうじん》と対酌《たいしゃく》す

李白《りはく》①

両人対酌山花開
一杯一杯復一杯
我酔欲眠卿且去
明朝有意抱琴来

両人《りょうにん》　対酌《たいしゃく》　山花《さんか》開《ひら》く
一杯《いっぱい》　一杯《いっぱい》　復《ま》た一杯《いっぱい》
我《わ》れ酔《よ》うて眠《ねむ》らんと欲《ほっ》す　卿《きみ》　且《しばら》く去《さ》れ
明朝《みょうちょう》　意有《いあ》らば　琴《こと》を抱《いだ》いて来《き》たれ

◇◇◇◇◇◇

二人さし向かい　花咲く山の中で飲む
一杯　一杯　もう一杯
眠くなったぞ　君　ひとまず帰ってくれ
あす朝　また飲みたきゃ　琴を抱《かか》えておいで

① 「内に贈る」二八頁注①参照。

諸田　「あこがれの②陶淵明《とうえんめい》」の幕開けです。
串田　この詩のどこが陶淵明？
諸田　種明かしはあとまわし。
串田　意地悪ですねえ（笑）。
諸田　そう言わず、まあ、一杯……。
串田　ところで陶淵明って、当時はあまり評価されなかったとか。
諸田　ええ、ほとんど。彼が生きた時代は、貴族文化の全盛期でしたから。
串田　貴族って、③鹿鳴館《ろくめいかん》じゃないけど、華麗な宴会が好みだから、淵明流の一人《ひとり》酒《ざけ》は理解されないってことですかね？
諸田　地味な酒の持つ滋味《じみ》がわからない。
串田　うまい！　で、李白は違うと？
諸田　唐代になると違ってきます。とりわけ李白は「陶淵明大好き！」でした。
串田　この詩も飲兵衛《のんべえ》の李白らしい詩ですね。
諸田　詩題の「幽人」は、山中にひっそりと暮らす隠者《いんじゃ》のことですが……。

② 「飲酒　其の十三」五二頁注①参照。

③ 「鹿鳴」三頁注⑤参照。

串田　今の中国は経済発展に夢中ですから、隠者なんて、もう絶滅したでしょう。
諸田　いや、まだどこかにいそうな気もします、広大な中国ですから。
串田　でも、今は④「向銭看《シアンチエンカン》（お金しか見ない）」の中国ですからね。
諸田　世界中がそうでしょう？
串田　では、隠者になりますか？
諸田　きっと私、「俗悪な隠者」にしかなれませんから、止《や》めときます。
串田　李白と酒を酌《く》み交《か》わしている「幽人」は、俗悪ではないと？
諸田　ええ、「琴《こと》を抱《いだ》いて」とありますし、「高潔な隠者」です。
串田　⑤琴は「君子の楽器」ですからね。
諸田　でも、李白は、そんな「君子」の前でも、実に自由奔放です。
串田　ところで、一句目の「両人対酌」という日本酒があるの、ご存じ？
諸田　まさか！

李白酒造の「両人対酌」

④一九七八年、鄧小《とうしょう》平《へい》が中国の発展に前向きに取り組もうと国民に呼びかけたスローガン「向前看」をもじった成語。「前」と「銭」とは発音がまったく同じ。資本主義の導入で拝金主義に走る中国人を自ら諷して言ったもの。

⑤『論語』や『礼記《らいき》』に孔子が好んで琴を弾じた記録がみえ、『白《びゃっ》虎通《こつう》』巻第二「礼学」に「琴《きん》は禁なり。淫邪を禁止し人心を正す所以《ゆえん》なり」とある。琴は儒家だけでなく知識人がたしなむ教養のひ

串田　いや、ホント、あるんです。島根県の酒造会社で、その名も「李白酒造」ですから驚きです。

諸田　じゃ、⑥「月下独酌《げっかどくしゃく》」もあったりして。

串田　それがあるんですよ、「月下独酌」も。⑦「酒仙李白」もあります！

諸田　中国人顔負け。社長さん、相当の李白ファンなんでしょうね。

串田　二句目の「一杯《いっぱい》　一杯《いっぱい》　復《ま》た一杯《いっぱい》」は、今の学生もコンパで口にするほど有名ですが、これが李白だなんて思いもしないんです。

諸田　そもそも漢詩だとも思っていないでしょう。

串田　「一杯」を三回も繰り返すのは、表現としても破格ですしね。

諸田　三句目の「眠くなったから帰ってくれ」も、実に自由奔放（笑）。

串田　「無礼者！」って、怒り出しても不思議じゃない。

諸田　でも、これには典故《てんこ》があるんです。

串田　さては、陶淵明？

「月下独酌」「酒仙李白」

とって、陶淵明「帰去《ききょ》来《らい》の辞《じ》」にも「親戚の情話を悦《よろこ》び、琴《きん》書を楽しみて以て憂いを消す」とある。

⑥李白には「月下独酌」と題する詩が四首ある。

⑦「少年行」一二六頁参照。

諸田　ご明察！　陶淵明は客⑧には貴賤《きせん》の別なく酒をふるまったんですが、自分が先に酔っぱらうと、「我《わ》れ酔《よ》うて眠《ねむ》らんと欲《ほっ》す、卿《きみ》、去《さ》るべし」と……。

串田　「眠くなったから、君、もう帰ってくれよ」って、平気で言っちゃう（笑）。

諸田　しかも、それは「其《そ》の真率《しんそつ》此《か》くの如《ごと》し」と誉《ほ》められています。

串田　「正直ですばらしい！」と……。

諸田　そんな陶淵明の自由さ、率直さに憧《あこが》れたんですね、李白は。

串田　その李白も、「⑨謫仙人《たくせんにん》」とか「⑩酒中《しゅちゅう》の仙《せん》」とかいわれるくらいですから、ずいぶん浮世離れした自由人だったでしょ？

諸田　はい。でも、酔っぱらって傲慢《ごうまん》な振る舞いがあったので、側近や楊貴妃《ようきひ》からは、にらまれました。

串田　そう、酔⑪っぱらって、「オレの靴を脱がせろ」などと、高力士《こうりきし》に屈辱的なことを命じたりして、それで、側近の恨みを買ったんですね。

諸田　高力士は玄宗皇帝の腹心ですから。ところが、謹慎するかと思いきや、いよいよ気ままに振る舞って……。

⑧『宋書』隠逸伝に「貴賤の之《こ》れに造《いた》る者、酒有れば輒《すなわ》ち設く。潜、若《も》し先に酔えば、便《すなわ》ち客に語《つ》ぐ、『我れ酔うて眠らんと欲す、卿《きみ》、去る可《べ》し』と。其の真率此《か》くの如し」とある。

⑨先輩詩人の賀知章《がちしょう》が李白を評した言葉（『新唐書』李白伝）。「水調歌頭」一六七頁注⑧⑨参照。李白「酒に対して賀監を憶《おも》う」にも「長安に一たび相《あ》い見しとき／我れを謫仙人と呼ぶ」とある。

⑩杜甫「飲中八仙歌」に「天子呼び来たれど船に上らず／自ら称す

串田　そういう自由奔放さは、陶淵明そっくりです。

諸田　人間って、相手の中に自分の理想像を投影してしまうのかもしれませんね。

串田　だからこそ、「あこがれの陶淵明」なんですよ。

諸田　陶淵明には不思議な力があって、彼に出会うと誰でもお酒をふるまいたくなったとか。

串田　羨ましい！　要するに陶淵明は、酒の魅力を自分の魅力にしてしまった、そういうことですね。

諸田　陶淵明を見習ったからこそ、李白も「もう酔っぱらった、君、そろそろ帰ってくれよ」なんて言えたんでしょう。

串田　酒にも、人と人とを結びつける、不思議な力がありますよね。

諸田　地位とか礼儀とかにとらわれると、ほんとうの人間らしさは発揮できません。「酒の前では万人が平等！」ってことですね。

串田　それが理解できるわれわれは、もはや俗人じゃない！

諸田　そういうことにしておきましょうか（笑）。

臣は是れ酒中の仙と」とある。

⑪『新唐書』李白伝にみえるエピソード。高力士は去勢した美少年で、則天武后に献上された後に宦官《かんがん》高延福の養子となった。玄宗皇帝の腹心として、公私ともに深い関係を持ちつづけた。

三友——酒と琴と詩と

北窓《ほくそう》の三友《さんゆう》①（部分）

白楽天《はくらくてん》②

琴罷《きんや》めば　輒《すなわ》ち　酒《さけ》を挙《あ》げ
酒罷《さけや》めば　輒《すなわ》ち　詩《し》を吟《ぎん》ず
三友《さんゆう》　遞《たが》いに相《あ》い引《ひ》き
循環《じゅんかん》して　已《や》む時《とき》無《な》し
一《ひと》たび弾《ひ》けば　中心《ちゅうしん》　愜《こころよ》く
一《ひと》たび詠《えい》ずれば　③四支《しし》暢《の》ぶ
猶《な》お中《なか》に間有《かんあ》るを恐《おそ》れ
酔《よ》いを以《もっ》て之《こ》れを弥縫《びほう》す

琴罷輒挙酒
酒罷輒吟詩
三友遞相引
循環無已時
一弾愜中心
一詠暢四支
猶恐中有間
以酔弥縫之

①全詩は巻末二〇四頁。
②「卯時の酒」二二頁注②参照。
③四肢（両手両足）に同じ。ここでは身体のこと。

豈《あ》に独《ひと》り吾《わ》が拙《せつ》のみ好《よろ》しからんや
古人《こじん》も多《おお》く斯《か》くの若《ごと》し

豈独吾拙好
古人多若斯

◇◇◇◇◇◇◇◇◇◇◇◇◇◇◇◇◇◇

琴《こと》を弾《ひ》き終わったら　酒を手に取り
酒を飲み干《ほ》したら　詩を口ずさむ
三友が代わりばんこにやって来て
ぐるぐる回って　止《と》まらない
ひとたび琴を弾けば　心はうっとり
ひとたび詩を口ずさめば　体はゆったり
それでも　途中に隙間《すきま》ができるのはイヤ
だから　酒に酔って繕《つくろ》うのです
世渡り下手を楽しむのは　わたしだけ？
いやいや　昔から　たくさんおりました

串田　「あこがれの陶淵明」第二弾。
諸田　白楽天《はくらくてん》にご登場願いました。
串田　後世の詩人には陶淵明ファンが多いですね。
諸田　白楽天も熱烈なファンの一人です。
串田　とはいえ、この詩のどこが陶淵明？
諸田　詩題の「北窓」です。
串田　えっ？
諸田　五十を過ぎたころ、陶淵明は大病を患いましてね、病が少し癒《い》えたときに、子供に手紙をしたためたんです。
串田　「子《こ》の儼《げん》らに与《あた》うる疏《そ》（手紙）」ですね？
諸田　はい。そこに、「④五六月中《ごろくがつちゅう》、北窓の下《もと》に臥《ふ》し……」とあります。
串田　その「北窓」ですか……。
諸田　「真夏に北の窓辺で、涼しい風に吹かれて昼寝をしていると、まるで自分が『太古《たいこ》の人』にでもなった気がしてくる」っていうんです。

④「常に言う『五六月中、北窓の下に臥し、涼風の暫《にわ》かに至るに遇《あ》えば、自ら謂《おも》えらく、是れ羲皇上《ぎこうじょう》の人なり』と。意浅く識罕《すくな》けれど、謂《おも》えらく『斯《こ》の言、保つ可《べ》し』と」とある。

串田　そんな陶淵明にならって、白楽天も「北の窓辺」で「三友」と楽しく過ごすってわけですね？

諸田　ええ。琴と酒と詩、この三つが白楽天の「三友」です。

串田　私なら、好きな音楽と、面白い本と、旨《うま》い酒で「三友」です。

諸田　なるほど、詩は詠《よ》めなくても、本なら読める、というわけですね？

串田　現代版「三友」です！

諸田　本の代わりに「気の置けない友」、これで「三友」もアリですよね？

串田　そうそう、「北窓三友」っていうお酒があるの、ご存じ？

諸田　もちろん！　岩手県の銘酒です。

串田　ご名答！

諸田　「三友」といえば、『論語』にもありましたよね？

串田　⑤「益者《えきしゃ》三友（正直な友・誠実な友・博学の友）、損者《そんしゃ》三友（格好だけの友・うわべだけの友・口先だけの友）」です。

諸田　酒の入り込む余地はありませんか。孔子は生真面目なんですね（笑）。

岩手の蔵元
わしの尾の
「北窓三友」

⑤『論語』季氏篇に「孔子曰《いわ》く『益者三友、損者三友。直を友とし、諒《まこと》を友とし、多聞を友とするは益なり。便辟《べんぺき》を友とし、善柔を友とし、便佞《べんねい》を友とするは損なり』と」とある。

串田　しかし、白楽天の「豈《あ》に独《ひと》り吾《わ》が拙《せつ》のみ好《よろ》しからんや」は微妙ですよ。

諸田　といいますと？

串田　「拙」というのは「世渡り下手」ということでしょう？

諸田　確かに。来る日も来る日も「琴・詩・酒、琴・詩・酒……」では、とうてい出世は望めません。

串田　でも、白楽天はその「拙」こそが「好《よ》き生き方」だと……。

諸田　立身出世と利益追求に明け暮れる「巧《たく》みな生き方」、それに対するアンチテーゼ（反論）でしょうね。

串田　「世渡り上手より、生きているよろこびを満喫することの方が大切だ」と。

諸田　「このくそ暑いときにあくせくすることはない、涼しい北窓で酒を飲んでる方がずっとマシだ」と。

串田　そうした、いわば「内に秘めた覚悟」があるんですね、白楽天には。

諸田　ええ、琴と詩と酒、この三者を我が友として、とことん生活を楽しもうという、白楽天の決意のようなものを感じます。

⑥「七八年来《しちはちねんらい》　洛都《らくと》に遊《あそ》ぶ／三分《さんぶん》の遊伴《ゆうはん》　二《に》分《ぶん》は無《な》し／風前月下《ふうぜんげっか》花園《かえん》の裏《うち》／処処《しょしょ》　唯《た》だ残《のこ》る个《こ》の老夫《ろうふ》／世事《せいじ》心《こころ》を労《ろう》するは富貴《ふうき》に非《あら》ず／人生《じんせい》の実事《じつじ》は是《こ》れ歓娯《かんご》／誰《た》れか能《よ》く我《わ》れを逐《お》いて来《き》たりて閑《しず》かに坐《ざ》し／時《とき》に共《とも》に酣歌《かんか》して一壺《いっこ》を傾《かたむ》けん」。

串田　「老夫」という詩でも、「⑥世事《せいじ》 心《こころ》を労《ろう》するは富貴《ふうき》に非《あら》ず／人生《じんせい》の実事《じつじ》は是《こ》れ歓娯《かんご》」と言っていますね。

諸田　「人生で大切なのは富貴ではない、歓楽だ！」と。この言葉、友人⑦が大好きなんですけど、確かに、ある意味すがすがしい覚悟ですよね。

串田　⑧菅原道真《すがわらのみちざね》に「⑨楽天《らくてん》が北窓三友《ほくそうさんゆう》の詩《し》を詠《よ》む」という長い詩がありますが……。

諸田　道真の場合は、詩だけが唯一の友で、「酒《さけ》と弾琴《だんきん》とは吾《わ》れ知《し》らず」と言っています。

串田　道真とは真逆に、われわれは「酒」だけを、しっかり学びました。

諸田　もし道真が、白楽天や陶淵明のように、酒や琴も実践していたら、まったく違った人生だったかもしれませんね。

串田　だとすると、「天神様」にはなれなかったでしょう。

諸田　われわれはどのみち「神様」にはなれぬ身です（笑）。人生を楽しみましょうよ、「三友」と一緒に。

串田　陶淵明や白楽天のように、ですね？

⑦下定雅弘『陶淵明と白楽天』（角川選書・二〇一二）参照。

⑧八四五～九〇三年。平安時代の貴族で、右大臣にまで昇ったが、後に讒言《ざんげん》にあって太宰府に左遷された。死後に学問の神様（天神様）として、天満宮に祭られた。

⑨「白氏が洛中の集十巻／中に北窓の三友の詩あり／一の友は弾琴／一の友は酒／酒と琴とは吾《わ》れ知らず／吾れ知らずと雖《いえど》も能《よ》く意を得たり／既に意を得たりと云《い》えば疑う所無し（後略）」。

老いらくの酒

惜《お》しむ可《べ》し

①杜甫《とほ》

花《はな》の飛《と》ぶこと底《なん》の急《きゅう》か有《あ》る
老《お》い去《さ》りては春《はる》の遅《おそ》きことを願《ねが》う
惜《お》しむ可《べ》し　歓娯《かんご》の地《ち》
都《すべ》て少壮《しょうそう》の時《とき》に非《あら》ず
心《こころ》を寛《ゆる》くするは　応《まさ》に是《こ》れ酒《さけ》なるべく
興《きょう》を遣《や》るは　詩《し》に過《す》ぐるは莫《な》し
此《こ》の意《い》　陶潜《とうせん》のみ解《かい》す
吾《わ》が生《せい》　汝《なんじ》が期《き》に後《おく》れたり

花飛有底急
老去願春遅
可惜歓娯地
都非少壮時
寛心応是酒
遣興莫過詩
此意陶潜解
吾生後汝期

①七一二～七七〇年。字《あざな》は子美、鞏《きょう》県（河南省鄭《てい》州市）の人。若い頃、長江下流域や山東半島一帯を歴遊。科挙に合格できず、三十代半ばから長安で浪人生活を送った。七五五年の安史の乱では、反乱軍によって長安に軟禁され、後に成都（四川省）に移住。晩年には長江を下り、長沙《ちょうさ》（湖南省）付近で不遇の一生を終えた。「詩仙」李白と並ぶ、中国の代表的詩人。「詩聖」と称される。

花はなぜ　かくも慌《あわ》ただしく散るのだろう
老いの身には　春はゆっくり過ぎてほしい
残念だなあ　歓楽の場所に居《い》られる身となったのに
それを享受できるほど　もう若くないとは
ならば　心をくつろがせるには酒
憂《う》さをはらすには詩　それらに勝るものはない
この気持ち　陶淵明なら　わかってくれるはず
だが私　生まれてくるのが　遅すぎた

◇◇◇◇◇◇◇◇◇◇◇◇◇◇

諸田　杜甫は陶淵明に遅れること三百年、もし同時代に生きていたら……。

串田　きっと二人で酒を酌《く》み交《か》わし、熱く詩を語ったことでしょう。

諸田　イヤイヤ、案外口論が絶えなかったりして。

串田　まさか！　あり得ませんよ。そもそも詩題の「惜《お》しむ可《べ》し」だって、「陶淵明と会えなくて残念だなあ」って意味でしょ？

諸田　はい。陶淵明と同じ時代に生まれなかったのが「残念で悔しい」わけです。

串田　「吾《わ》が生《せい》　汝《なんじ》が期《き》に後《おく》れたり」ですもんね。

諸田　もちろん「惜《お》しむ可《べ》し　歓娯《かんご》の地《ち》／都《すべ》て少壮《しょうそう》の時《とき》に非《あら》ず」とありますから、「若いころのように遊興できないことが残念だ」という……。

串田　いや、そんなセンチメンタリズムはないでしょう！

諸田　でも、日本人なら、「青春はあっという間に過ぎ去る、春の花が散るように……」なんて感傷に浸《ひた》るところです。

串田　中国人はまるで違いますよ。「若いころは良かった」、「若いころに戻りたい」なんていう非論理的な発想はありません。

諸田　そうですか？　でも、「花《はな》の飛《と》ぶこと底《なん》の急《きゅう》か有《あ》る／老《お》い去《さ》りては春《はる》の遅《おそ》きことを願《ねが》う」というのは……。

串田　それは確かに、老年に共通の感慨でしょう。時の経過は年を追って速く感じられますから。

諸田　ちなみに、杜甫はこのとき五十歳でした。

串田　当時の平均寿命って、成人男子の場合……。

諸田　六十歳くらいです。乳幼児死亡率とかは除外してですが。

串田　すると、五十歳の杜甫は、もう立派なおじさん！

諸田　イヤ、おじいさんです。

串田　まだ宴席に連なることもあったでしょうが……。

諸田　若いときのようには楽しめなかったでしょうね。

串田　だからこそ、己《おのれ》の老いを直視して、若いときにはできなかったことを楽しむんですよ。

諸田　非現実的な感傷に浸るより、現実的に酒に浸るってことですね？

串田　酒を飲んで「心《こころ》を寛《ゆる》く」し、詩を賦《ふ》して「興《きょう》を遣《や》る」んです！

諸田　酒を飲んで、ゆったりまったり……。

串田　詩を詠《よ》んで、日ごろの憂《う》さを発散するわけです。

諸田　そういう暮らしを実践した先輩が、陶淵明その人だった……。

串田　だからこそ、杜甫も陶淵明にあこがれたんですよ。

諸田　でも、この数年前の杜甫はちょっと辛口《からくち》です。別の詩で②「陶淵明は世俗を避けたじいさんだというが、道を悟っていたとは思えない」と言ってますから。

串田　「陶潜《とうせん》は避俗《ひぞく》の翁《おきな》なるも／未《いま》だ必《かなら》ずしも道《みち》に達《たっ》すること能《あた》わず」ですね。でもこれって、杜甫の本心ではないでしょ？

諸田　たぶん（笑）。ただ、続けて「其《そ》の著《あらわ》す詩集《ししゅう》を観《み》るに／頗《すこぶ》る亦《ま》た枯槁《ここう》するを恨《うら》む」と、非難がましいです。

串田　「貧乏暮らしを恨んで嘆《なげ》くなんて、まだまだ達人とはほど遠い」ってことですか……。

諸田　杜甫はさらに続けて、「陶淵明は出来の悪い子供を嘆くが、どうしてそんなことを気にするのか」と批判的です。

串田　「子《こ》の賢《けん》と愚《ぐ》と有《あ》るも／何《なん》ぞ其《そ》れ懐抱《かいほう》に桂《か》けんや」ですね。これって、陶淵明の③「子を責む」のことでしょ？

諸田　はい。「五男児《ごだんじ》有《あ》りと雖《いえど》も／総《す》べて紙筆《しひつ》（お勉強）を好《この》まず」です。

②「興《きょう》を遣《や》る　其の三」に「陶潜《とうせん》は避俗《ひぞく》の翁《おきな》なるも／未《いま》だ必《かなら》ずしも道《みち》に達《たっ》すること能《あた》わず／其《そ》の著《あらわ》す詩集《ししゅう》を観《み》るに／頗《すこぶ》る亦《ま》た枯槁《ここう》するを恨《うら》む／達生《たっせい》　豈《あ》に是《こ》れ足《た》らんや／黙識《もくしき》　蓋《けだ》し早《はや》からず／子《こ》の賢《けん》と愚《ぐ》と有《あ》るも／何《なん》ぞ其《そ》れ懐《かい》抱《ほう》に桂《か》けんや」とある。

③「白髪《はくはつ》　両鬢《りょうびん》を被《おお》い／肌膚《きふ》　復《ま》た実《ゆた》かならず

串田　私、この詩、とても好きなんですよ。「五人の息子が揃《そろ》いも揃って勉強嫌いのできそこない！」（笑）。

諸田　それも天命、「天運《てんうん》　苟《いやしく》も此《か》くの如《ごと》くんば／且《しばら》く杯中《はいちゅう》の物《もの》を進《すす》めん」、酒でも飲んで忘れよう、です。

串田　陶淵明の我が子への愛情があふれています。

諸田　まあ、貧困とできの悪い子供、杜甫もまた同じ悩みを抱えていたわけですから……。

串田　きっと、自分の境遇と重ね合わせて、自嘲《じちょう》的に陶淵明に愚痴《ぐち》ったんでしょうね。

諸田　陶淵明の悩みは身につまされて、杜甫には痛いほどよくわかる。

串田　そんな二人が出会ったら……。

諸田　意気投合して、酒を酌み交わしたでしょうね。

串田　でしょう、やっぱり（笑）。

ず／五男児《ごだんじ》有りと雖《いえど》も／総《す》べて紙筆《しひつ》を好《この》まず／阿舒《あじょ》は已《すで》に二八《にはち》なるに／懶惰《らんだ》なること故《まこと》に匹無《たぐいな》し／阿宣《あせん》は行々志《ゆくゆくし》学《がく》なるに／而《しか》も文術《ぶんじゅつ》を愛《あい》さず／雍《よう》と端《たん》とは年十三《としじゅうさん》なるも／六《ろく》と七《しち》とを知《し》らず／通子《とうし》は九齢《きゅうれい》に垂《なんな》んとするも／但《た》だ梨《なし》と栗《くり》とを覓《もと》むるのみ／天運《てんうん》　苟《いやしく》も此《か》くの如《ごと》くんば／且《しばら》く杯中《はいちゅう》の物《もの》を進《すす》めん」。

虚飾を捨てる

陶淵明《とうえんめい》　①劉克荘《りゅうこくそう》

膝《ひざ》を容《い》るるに堪《た》うるを卜筑《ぼくちく》し
官《かん》を休《や》めて腰《こし》を折《お》るを免《めん》ぜらる
寧《むし》ろ処士卒《しょしそつ》と書《か》かるるも
寄奴《きど》の朝《ちょう》に践《したが》わず

卜筑堪容膝
休官免折腰
寧書処士卒
不践寄奴朝

ちっぽけな家を建て
宮仕え止《や》めて気楽な毎日
「無位無官で死す」と書かれても
お上《かみ》なんかに従うまいぞ

①一一八七～一二六九年。字《あざな》は潜夫、号は後村居士《こじ》。莆田《ほでん》（福建省莆田市）の人。筆禍にあい、官界を追われたが、後に許されて官を辞した。

諸田　今回は「陶淵明」そのものを詩題にした作品です。

串田　酒は出てきませんが？

諸田　いいんですよ、陶淵明の生き方そのものにあこがれている詩ですから。酒は言わずもがなです。

串田　劉克荘《りゅうこくそう》という詩人は、日本人にはあまり馴染《なじ》みがないですね。

諸田　南宋《なんそう》を代表する「庶民派詩人」なんですが、日本ではやっぱり、北宋の②蘇《そ》東坡《とうば》や③王安石《おうあんせき》でしょうね。

串田　南宋の詩人では「愛国詩人」の④陸游《りくゆう》が有名です。

諸田　南宋という時代は、中国の北半分が⑤女真族《じょしんぞく》の金《きん》に占領されていましたから、「愛国」がテーマになりがちですね。

串田　それはちょっと安易でしょう。

諸田　でも劉克荘は、南宋も末期、金は滅びたものの、今度はモンゴル族に脅《おびや》かされていたころの人です。だからこの詩の後半にも、そうした状況への強い憤《いきどお》りがあります。

②「金山寺にて柳子玉と飲み大酔す」四六頁注②参照。

③「元日」一一六頁、及び「金山寺にて柳子玉と飲み大酔す」四八頁注⑥参照。

④一一二五～一二一〇年。南宋の代表的詩人。強烈な対金主戦論者で、愛国的な詩が多い。

⑤中国の東北に居住していた女真族は、契丹《きったん》族の遼《りょう》の支配下にあったが、一一一五年、遼から自立して北宋を滅ぼし、金を建国。一二三四年にモンゴル帝国に滅ぼされた。

串田　詩の最後に出て来る「寄奴《きど》」ですね？

諸田　はい。南朝の宋（劉宋）を建国した武帝（劉裕《りゅうゆう》）の幼名です。

串田　当時は政権がころころ替わって、陶淵明は新政権の劉宋に服することを潔《いさぎよ》しとしなかった……。

諸田　そんな陶淵明の生き方にあこがれて、劉克荘も「異民族の王朝なんかには従わないぞ」と宣言しているわけです。

串田　陶淵明はただの飲んべえではなかった、ということですね。

諸田　そこがわれわれ「但野飲兵衛」とは違う（笑）。

串田　劉克荘が字《あざな》を⑥潜夫《せんぷ》としたのも納得できます。

諸田　実際、庶民派の詩人でした。結構、出世はしましたけど。

串田　それはそうと、詩人の姓名を詩題にするというのも珍しいですよね。

諸田　いかに陶淵明に入れ込んでいるか、よくわかります。

串田　陶淵明が上司に辞表をたたきつけて書いた⑦「帰去来《ききょらい》の辞《じ》」も下敷きにしていますね？

⑥「潜夫」は、在野の士、の意。陶淵明の名である「潜」にあやかったものであろう。

⑦四〇五年、陶淵明四十一歳の時の作。己《おの》れ

諸田　「帰《かえ》りなんいざ、田園《でんえん》将《まさ》に蕪《あ》れなんとす……」という、あの作品です。

串田　一句目の「膝《ひざ》を容《い》るるに堪《た》うるを卜筑《ぼくちく》し」は、「帰去来の辞」の「膝《ひざ》を容《い》るるの安《やす》んじ易《やす》きを審《つまび》らかにす」……。

諸田　身体《からだ》が入るだけの、ちっぽけな家でも、快適そのもの。

串田　久々に「わが家」に帰った陶淵明は、そう実感したわけです。

諸田　劉克荘も「起きて半畳、寝て一畳」と……。

串田　身体《からだ》が納まるスペースさえあれば、普通に暮らす分には充分ですから。

諸田　わが家が良い見本です。

串田　いずこも同じですよ。

諸田　で、二句目の「官《かん》を休《や》めて腰《こし》を折《お》るを免《めん》ぜらる」が……。

串田　有名な「⑧我《わ》れ五斗米《ごとべい》の為《ため》に腰《こし》を折《お》りて郷里《きょうり》の小人《しょうじん》に向《む》かうこと能《あた》わず」ですね？

諸田　「雀の涙ほどの給料のために、知性も品性もない郷里の若造にぺこぺこするのは、まっぴらだ！」、聞いているだけでスカッとします。

の志を曲げて仕官することに耐え切れなくなった淵明が、彭沢《ほうたく》県令の職を捨て、故郷に帰った際の、決意や情景を述べた長篇。「飲酒」五二頁注①参照。

⑧『宋書』隠逸伝（陶潜）。

串田　言ってみたい？

諸田　いつも言ってます！　心の中で（笑）。第一、誇れる肩書きなんて持ってませんし、「無位無冠で死す」は、わが運命ですよ。

串田　そもそも「肩書き」なんて誇れるものなんですか？　誰に誇るんです？

諸田　でも、定年で肩書きがなくなると、すっかりしょぼくれてしまう人が少なくないと聞きますよ……。

串田　となると、われわれは定年後もしょぼくれることはない、という保証をもらったようなもんだ。

諸田　まして「お墓」に肩書きなんて、意味ありません。

串田　「処士卒《しょしそつ》」ね？

諸田　「在野《ざいや》の士《し》のままで没した」で結構！　陶淵明も「五柳先生伝」⑨で、無名のままでいいんだ、と言っています。

串田　「先生《せんせい》は何許《いずこ》の人《ひと》なるかを知《し》らず」ですね。

諸田　つまり、この詩は、とことん陶淵明に倣《なら》っているわけで、「陶淵明」を詩

⑨陶淵明の自叙伝ともされる文章。貧しくともクヨクヨせず、富や地位をガツガツ求めたりしない生き方を述べる。「先生《せんせい》は何許《いずこ》の人《ひと》なるかを知《し》らず。亦《ま》た姓字《せいじ》も詳《つまび》らかにせず。宅《たく》辺《へん》に五柳樹《ごりゅうじゅ》有《あ》り。因《よ》って以《もっ》て号《ごう》と為《な》す」で始まり、「懐《おも》いを得失《とくしつ》に忘《わす》れ、此《こ》れを以《もっ》て自《みずか》ら終《お》わる（損得勘定を忘れて生き、天寿を全うしたい）」と結ぶ。

題にしたのもうなずけます。

串田　「肩書きなんぞのために命を削るのは、まっぴらごめん」と……。

諸田　「お上のご意向にゴマすって出世するより、自分らしい、自由な生き方を選ぶぞ」という決意です。

串田　だいたい、自分に自信のない人ほど、肩書きというか、地位や名誉にこだわるんですよ。

諸田　⑩孫文《そんぶん》の名刺を見たことがあるんですが、「孫文」の二文字だけでした。

串田　イヤー、そうですか！　⑪鷗外《おうがい》のお墓も、「森林太郎墓」だけですね。

諸田　虚飾は一切不要、そういう意味だったんでしょうね。

串田　肩書きや死後の名声よりも、好きな友を呼び、好きな酒を飲んで、自分らしく人生を楽しもう！

諸田　陶淵明のように。

串田　われわれも、あやかりましょう。

諸田　ぜひ！

⑩一八六六～一九二五年。一九一一年、清《しん》朝打倒と共和制国家の樹立を求めて辛亥《しんがい》革命を起こし、翌年、アジア初の共和制国家である中華民国を誕生させた。「中国革命の父」と呼ばれる。

⑪一八六二～一九二二年。陸軍軍医としてドイツに留学し、帰国後は軍医・官僚の地位を捨てて文筆活動に入った。本名は森林太郎。

原点回帰

戯《たわむ》れに鄭溧陽《ていりつよう》に贈《おく》る

①李白《りはく》

②陶令《とうれい》　日日《ひび》酔《よ》いて
五柳《ごりゅう》の春《はる》を知《し》らず
素琴《そきん》には本《もと》より弦《げん》無《な》く
酒《さけ》を漉《こ》すには③葛《くず》の巾《きん》を用《もち》う
清風《せいふう》　北窓《ほくそう》の下《もと》
自《みずか》ら謂《い》う　④羲皇《ぎこう》の人《ひと》なりと
何《いず》れの時《とき》か⑤栗里《りつり》に到《いた》り
一《ひと》たび⑥平生《へいぜい》の親《しん》に見《あ》わん

陶令日日酔
不知五柳春
素琴本無弦
漉酒用葛巾
清風北窓下
自謂羲皇人
何時到栗里
一見平生親

①「内に贈る」二八頁注①参照。
②陶淵明は四〇五年八月に彭沢《ほうたく》県（江西省九江市）の県令となった。このことから「陶令」とも呼ばれる。
③「葛巾」は、葛の繊維で編んだ帽子で、隠者のかぶりもの。質素で粗末な暮らしの象徴。
④神話に登場する伝説上の帝王・伏羲《ふっき》の尊称。妻（あるいは妹）の女《じょ》媧《か》とともに、蛇身人首の姿で画かれる。
⑤陶淵明の郷里である尋陽柴桑《さいそう》（江西省九江市）。ここでは鄭晏《ていあん》のいる溧陽県をさす。

陶淵明は　毎日酒浸《さけびた》り
五本の柳が春に芽吹《めぶ》いたのも知らない
白木《しらき》の琴《きん》には　初めから弦《げん》が無く
酒を漉《こ》すのに　葛《くず》の頭巾《ずきん》を使って平気
涼しい風が　北の窓辺に吹いてくると
神代《かみよ》の人になった気分だ　と言ったとか
いつの日か　溧陽《りつよう》に行ってお会いしたい
淵明によく似た　親友の貴君《きみ》に

串田　「あこがれの陶淵明」第五弾！

諸田　再び李白にご登場願いました。

串田　先の⑦「山中《さんちゅう》にて幽人《ゆうじん》と対酌《たいしゃく》す」に比べて、この詩の李白は、ストレートに陶淵明ファンを自認していますね。

諸田　陶淵明のエピソードが、オン・パレードです。

⑥ここでは「昔、往年」の意。

⑦六〇頁。

串田　でもこの二人って、ずいぶんタイプが違いませんか？

諸田　李白が〈放浪の詩人〉なら、陶淵明は、たぶん〈帰郷の詩人〉でしょう。

串田　もしかして、李白ってシャイなんじゃありませんか？

諸田　まさか！　「豪放磊落《ごうほうらいらく》」が李白の看板ですよ。

串田　でも、私にはどうも、この詩は、友人にことよせながら、陶淵明への思いを詠《よ》んでいるようにしか思えません。

諸田　ウーン、確かに「平生《へいぜい》の親《しん》」は、鄭溧陽《ていりつよう》とも陶淵明とも受け取れますね。しかし、だからといって、李白にシャイは似合わないでしょう。

串田　メインは「アイ・ラブ・陶淵明！」、ついでに「鄭君にも会いたい」、ですね？　ところで、鄭溧陽って鄭晏《あん》⑧のことですよね？

諸田　ええ、溧陽県（江蘇《こうそ》省）の県令《けんれい》（長官）だったので「鄭溧陽」と呼びます。

串田　漢の大儒・鄭康成《ていこうせい》⑨の子孫！

諸田　エッ、そうなんですか、知らなかった。

串田　鄭氏の家系は儒家《じゅか》ですが、鄭晏は学問に秀でていただけでなく、琴を愛し

⑧李白の「溧陽瀬水《りつようせすい》の貞義女《ていぎじょ》の碑銘《ひめい》」に「邑宰《ゆうさい》榮陽《けいよう》の鄭公《ていこう》、名《な》は晏《あん》、康成《こうせい》の学《がく》を家《いえ》とし、子産《しさん》の才《さい》を世《よ》にし、琴清《きんきよ》くして心《こころ》静《しず》かに、百里《ひゃくり》大《おお》いに化《か》す」とある。

⑨後漢《ごかん》の経学者・鄭玄《じょうげん》（一二七～二〇〇）のこと。「康成」は、その字《あざな》。

諸田　心も清らかで、陶淵明を彷彿《ほうふつ》とさせたんでしょう。

串田　すると、最初の「陶令《とうれい》　日日《ひび》酔《よ》いて」の句には、「鄭令さん、あなたも同じように、日々酔っておいででしょうが」という、含意があるわけですね？

諸田　だから「戯れに贈る」なんです。最後の「いつか栗里《りつり》へ会いに行く」というのも、「鄭晏に会いに溧陽へ行く」ことのなぞかけでしょう。

串田　要するに、「陶淵明のように暮らす君の所へ近々《ちかぢか》行くからヨロシク」ってことですね？

諸田　でも、「毎日酔っぱらって、酒造りにいそしむオジサン」って、どう？

串田　イヤー、あこがれます！

諸田　でしょうね（笑）。それに、「五柳《ごりゅう》の春《はる》を知《し》らず」がしゃれてます。

串田　庭に五本の柳を植えていたので、⑩「五柳先生」です。

諸田　「柳」は、風の向くまま自然に委《ゆだ》ねて生きる、まさに自由人の象徴ですね。

串田　「素琴《そきん》」も、自然のままの白木《しらき》の琴、虚飾のない生き方の象徴です。

⑩「陶淵明」八二頁注⑨参照。

串田　⑪伝記では、友人と酒盛りするときは、いつも素琴を携《たずさ》えていたとか。

諸田　「音楽の素養もないのに」とも書いてあります。実際は弾けたのに。

串田　まあ、それはどちらでも、大したことじゃない。

諸田　確かに「酒《さけ》を漉《こ》すには葛《くず》の巾《きん》を用《もち》う」のほうが、はるかに大切です。

串田　かぶっている頭巾を使ってでも酒を濾《こ》す、これはもはや執念です（笑）。

諸田　これも、陶淵明のエピソードなんです。「⑫其《そ》の酒《さけ》の熟《じゅく》せるに逢《あ》えば、葛巾《かつきん》を取《と》りて酒《さけ》を漉《こ》し、畢《おわ》れば還《ま》た復《ま》た之《こ》れを著《つ》く」と……。

串田　酒が熟成すると、待ってましたとばかりに、頭巾を脱いで酒を漉し、漉し終わると、またそれをかぶって飲んだ……。

諸田　李白もやってみたかったんでしょうね。

串田　あこがれの陶淵明ですから、真似したのかも。

諸田　続く五句目の「清風《せいふう》　北窓《ほくそう》の下《もと》」は、白楽天もあこがれた境地でした。

串田　「⑬北窓《ほくそう》の三友《さんゆう》」でしたね。

諸田　その次の一句「自《みずか》ら謂《い》う　羲皇《ぎこう》の人《ひと》なりと」、これも「北窓の三友」に出

⑪『宋書』隠逸伝（陶潜）に「潜、音声を解さざるも、素琴一張を畜《たくわ》う。弦なし。酒の適《かな》うこと有る毎《ごと》に、輒《すなわ》ち撫弄《ぶろう》して以てその意を寄す」とある。

⑫『宋書』隠逸伝（陶潜）。

⑬六六頁。

串田　てきた「⑭子《こ》の儼《げん》らに与うる疏《そ》」が典故《てんこ》です。

諸田　「五六月中《ごろくがつちゅう》、北窓《ほくそう》の下《もと》に臥《ふ》し、涼風《りょうふう》の暫《にわ》かに至《いた》るに遇《あ》えば、自《みずか》ら謂《おも》えらく、是《こ》れ羲皇上《ぎこうじょう》の人《ひと》なり、と……」

串田　「暑い夏の日、北の窓辺で涼しい風に吹かれていると、神代《かみよ》の人になった気分だ」っていうのがいいです。

諸田　純朴だったんでしょうねえ、神代の人って。

串田　要するに、「人間の原点」ですよ。

諸田　そういう「原点回帰」みたいなことを感じさせる、それが陶淵明の詩の世界なんですね。

串田　だから〈帰郷の詩人〉です。田園に帰るのは、太古の世界に帰ること……。

諸田　となると、飲酒にも、人を「原点回帰」させるようなところがありませんか？

串田　本性《ほんしょう》が出ますからね。

諸田　くわばら、くわばら（笑）。

⑭六八頁注③参照。

独酌もまた一興

陶潜《とうせん》の体《たい》に効《なら》う詩《し》　其の五（部分）[①]

白楽天《はくらくてん》[②]

朝亦独酔歌
暮亦独酔睡
未尽一壺酒
已成三独酔
勿嫌飲太少
且喜歓易致

朝《あさ》にも亦《ま》た独《ひと》り酔《よ》うて歌《うた》い
暮《くれ》にも亦《ま》た独《ひと》り酔《よ》うて睡《ねむ》る
未《いま》だ一壺《いっこ》の酒《さけ》を尽《つ》くさざるに
已《すで》に三独酔《さんどくすい》を成《な》す
嫌《きら》う勿《なか》れ　飲《の》むこと太《はなは》だ少《すく》なきを
且《か》つ喜《よろこ》ぶ　歓《かん》の致《いた》し易《やす》きを

◇◇◇

朝も　ひとり　酔って歌い
夜も　ひとり　酔って眠る

①全詩は巻末二一〇頁。
②「卯時の酒」二二頁注②参照。

まだ一壺《ひとつぼ》の酒を　飲み尽くさぬうちに
もう　三度も　ひとり　酔っぱらった
飲む量が少ないぞ　などと言うなかれ
喜ぶべし　すぐさま楽しくなれるのを

◇◇◇◇◇◇◇

諸田　今度は白楽天の再登場です！

串田　十六首もあるんですね、同じ題の連作詩が。

諸田　白楽天は陶淵明が大好きでしたから。

串田　これは「其《そ》の五」。

諸田　「あさ　ひとり　ようては　うたい／よる　ひとり　ようては　ねむる……」③

串田　「ひとつぼの　さけ　のまぬ　うち／さんべんも　ひとりで　ようた……」

諸田　武部利男《たけべとしお》氏の名訳には太刀打ちできません（笑）。

串田　「序文」④は「余れ渭《わい》の上《ほとり》に退居《たいきょ》し」と始まりますが……。

③武部利男編訳『白楽天詩集』（平凡社）。以下、ひらがなの訳詩は武部訳。

④巻末二〇八頁参照。

諸田　白楽天はこのころ、母を亡くして、渭水《いすい》⑤のほとりで喪に服していました。四十歳ごろの作品です。後を追うように女児も亡くなりました。

串田　昔は親が死ぬと、官職を辞して、足かけ三年は喪に服しましたからね。

諸田　「序文」には「雨が多くてすることがないので、酒ばかり飲んでいる」とあります。要するに、自分の時間だけは、たっぷりあった。

串田　「雨中《うちゅう》に独《ひと》り飲《の》む」ですね？　これ、やはり陶淵明の「連雨独飲《れんうどくいん》」⑥を連想させますね。

諸田　そうなんです。白楽天は陶淵明の「飲酒二十首」の序文⑦もかなり意識して書いていています。

串田　でも、雨のせいにしちゃダメですよ。

諸田　ごもっとも！

串田　晴れ続きなら、「天気がいいので酒が進む」なんて言ったりして（笑）。

諸田　「序文」に、「酒を飲む⑧と、満ち足りた気持ちになって悲しみを忘れることができる」とあります。

⑤陝西《せんせい》省渭南《いなん》市。

⑥一四〇頁。

⑦巻末二〇三頁参照。

⑧「故に此《こ》れ（飲酒）に得て以て彼れに忘る る者有り」とある。巻末二〇八頁参照。

串田　その「悲しみ」が、母と娘の死……。

諸田　ええ。それで、白楽天は自家製の濁酒《どぶろく》を飲みながら、「やっぱり陶淵明と酒はすばらしい！」という詩を書いたわけです。

串田　陶淵明なら、こんな自分を真に理解してくれるはずだ、という思いですね。

諸田　そうなんです！　だから「独《ひと》り飲《の》む」のも楽しいんです。

串田　私は大勢で飲むのが好きです。

諸田　そうですか？　独り酒もなかなかおつですよ。

串田　朝からひとりで飲むなんて、ちょっと寂しいじゃないですか。

諸田　それは飲み過ぎるからです（笑）。白楽天のように、「⑨一盃《いっぱい》　復《ま》た両盃《りょうはい》／多《おお》きも三四《さんし》を過《す》ぎず」ですよ。

串田　「いっぱいか　あるいは　にはい／おおくても　さん・しはいまで／それだけで　もう　いい　きもち」ですか（笑）。

諸田　そう、ほどほどにね。

串田　そういえば、⑩貝原益軒《かいばらえきけん》の『⑪養生訓《ようじょうくん》』にも、「少《すこし》のめば益《えき》多く、多くのめば損《そん》

⑨巻末の全詩二一〇頁。

⑩一六三〇～一七一四年。江戸時代の本草《ほんぞう》学者・儒学者。

⑪益軒八十三歳の作。養生（健康）の指南書であると同時に、日常生活の心得書として広く読まれた。

多し」といって、この詩の最後を引いています。

諸田　益軒は白楽天の詩や生き方が好きだったようで、たびたび引用しますね。

串田　「酒を多く飲む人の長命なるはまれなり。酒は半酔《はんすい》にのめば長生の薬となる」ともいってます。何ともお行儀がよろしいようで……。

諸田　その「半酔」、白楽天が好きだった言葉なんです。

串田　益軒は「酒は微酔《びすい》にのみ、半酣《はんかん》をかぎりとすべし」と……。

諸田　ええ、この「半酣（ほろ酔い）」も、⑫白楽天にならった言葉ですね。益軒は白楽天を「養生」の先輩として敬愛していたようです。

串田　チョットチョット、朝酒にはじまって、夜も飲んで酔っぱらってるのに、「半酔」も「半酣」もないでしょう！

諸田　「已《すで》に三独酔《さんどくすい》を成《な》す」ですもんね。

串田　それに、その後で⑬「更《さら》に復《ま》た一盃《いっぱい》を強《し》い／陶然《とうぜん》として万累《ばんるい》を遺《わす》る（そこでまたむりに いっぱい／いやな こと ぜんぶ わすれる）」ともありますよ。

諸田　確かにしこたま飲めばイヤなことも忘れますが……。

⑫益軒と白楽天との関係については、下定雅弘「貝原益軒『養生訓』に見る白居易」を参照。

⑬巻末の全詩二一〇頁。

串田　でしょう？　ただ問題は二日酔いです。

諸田　それを迎え酒で克服するとか？

串田　まさか、もうそんな体力はありません。

諸田　私はまだまだ体力はありますが、いかんせん金力が……。

串田　あっ、それこそ白楽天のいう「⑭一飲一石《いちいんいっこく》なる者《もの》は／徒《いたずら》に多《おお》きを以《もっ》て貴《とうと》しと為《な》す」でしょう！

諸田　「おおざけを　むやみに　いばる」輩《やから》というわけですか？

串田　その通り！

諸田　でも、「⑮海量《ハイリャン》」にはちょっとあこがれます。

串田　では、トドメに、最後の一句を進呈しましょう。

諸田　えっ？

串田　「⑯多《おお》く飲《の》む人《ひと》／酒銭《しゅせん》　徒自《いたずら》に費《つい》やす（おおざけのみは／さかだいが　たかく　つくだけ）」（笑）。

諸田　恐れ入りました！

⑭巻末の全詩二一一頁。

⑮「酒豪」を意味する中国語であるが、人間としての度量が大きいという意味ともなる。

⑯巻末の全詩二一一頁。

空《から》の杯を持ち歩く

陶《とう》の飲酒《いんしゅ》に和《わ》す　其の一

蘇東坡《①そとうば》

我《わ》れ　陶生《②とうせい》に如《し》かず
世事《せじ》　之《こ》れを纏綿《てんめん》す
云何《いかん》ぞ　一適《いってき》を得《う》ること
亦《ま》た生《せい》の時《とき》の如《ごと》きこと有《あ》らん
寸田《③すんでん》に　荊棘《けいきょく》無《な》し
佳処《かしょ》　正《まさ》に茲《こ》こに在《あ》り
心《こころ》を　縦《ほしいまま》に事《こと》と往《ゆ》かしめば
遇《あ》う所《ところ》　復《ま》た疑《うたが》う無《な》からん

我不如陶生
世事纏綿之
云何得一適
亦有如生時
寸田無荊棘
佳処正在茲
縦心与事往
所遇無復疑

①「金山寺にて柳子玉と飲み大酔す」四六頁注②参照。
②陶淵明のこと。「生」は尊称。「飲酒　其の一」（一〇二頁）の「邵生　瓜田の中」に合わせたもの。
③一寸四方のわずかな田地。転じて、心をいう。

偶ゝ《たまたま》得《え》たり　酒中《しゅちゅう》の趣《おもむき》
空杯《くうはい》　亦《ま》た常《つね》に持《じ》さん

偶得酒中趣
空杯亦常持

わたしは　陶先生には及ばない
俗事が　しつこく　まといつく
どうすれば　快適なひとときを
先生のように　楽しめるのか
心の中から　いばらが消え失《う》せるとき
極意《ごくい》は　まさに　ここにあり
心を解《と》き放《はな》ち　物事の推移にまかせれば
出会ったことは　何でも受け容《い》れられる
偶然にも　酒で悟りを　会得《えとく》した
これからはいつも　空《から》の杯《さかずき》を　持ち歩こう

諸田　陶淵明ファンといえばこの人、蘇東坡先生の登場です。

串田　この「陶《とう》の飲酒《いんしゅ》に和《わ》す」は、陶淵明の「飲酒」④二十首に唱和した作品ということですが……。

諸田　はい。ですから蘇東坡の詩も二十首の連作で、これはその第一首です。

串田　ということは、「飲酒　其の二」に次韻《じいん》⑤して……。

諸田　偶数句の最後「之《し》・時《じ》・茲《じ》・疑《ぎ》・持《じ》」の五字は、陶淵明の詩と同じです。

串田　蘇東坡には陶淵明に唱和した作品が多いんでしょう?

諸田　百二十首以上あります。淵明の詩は全部で百三十首くらいですから、ほとんどの詩に唱和しています。

串田　そういえば、「陶《とう》の園田《えんでん》の居《きょ》に帰《かえ》るに和《わ》す」⑥の序文に、「陶淵明の詩、全部に唱和してやるぞ!」ってありました。

諸田　そうやって出来た作品が「和陶詩《わとうし》」なんです。

串田　この詩でも「我《わ》れ陶生《とうせい》に如《し》かず」と、陶淵明を敬《うやま》ってますね。

諸田　熱狂的なファンですね、蘇東坡は。まさに「あこがれの陶淵明」です!

④五二頁及び一〇二頁参照。

⑤他の詩人の詩の韻字を、同じ順に用いて詩を作ること。

⑥「児子過《か》、淵明が『園田の居に帰る』の詩六首を誦《しょう》するを聞き、乃《すなわ》ち悉《ことごと》く其の韻に次《じ》す。始め余《わ》れ広陵に在り、淵明が『飲酒』二十首に和す。今復た此れを為《つく》る。要《かなら》ず当《まさ》に尽《ことごと》く其の詩に和して乃《すなわ》ち已《や》むのみ」とある。

串田　「淵明先生のような人生を送りたい」と、切望したわけですね。

諸田　そのためには、この詩でいうように、先ず「心（寸田《すんでん》）からいばらを無くすことが重要だ」と気づくわけです。

串田　確かに。心の中が棘《とげ》だらけでは、辛い人生になりますからね。

諸田　「佳処《かしょ》　正《まさ》に茲《こ》こに在《あ》り」、まさしくそれが極意《ごくい》だというんです。

串田　私は、「心《こころ》を　縦《ほしいまま》に事《こと》と往《ゆ》かしめば／遇《あ》う所《ところ》　復《ま》た疑《うたが》う無《な》からん」の二句が気に入りました。

諸田　「心を解《と》き放《はな》って物事の推移にまかせれば、何でも受け容れられる」っていう姿勢がいいですよね。

串田　要するに、「運命に逆らうのはやめよう」ってことでしょう？　人生に前向きで、いかにも蘇東坡らしい。

諸田　その度量の大きさが、心の自由や平安につながってゆくわけですからね。

串田　ところで、⑦序文に「吾《わ》れ酒《さけ》を飲《の》むこと至《いた》って少《すく》なきも、常《つね》に盞《さかずき》を把《と》るを以《もっ》て楽《たの》しみと為《な》し、往往《おうおう》にして頽然坐睡《たいぜんざすい》す」とありますね。

⑦「吾《わ》れ酒《さけ》を飲《の》むこと至《いた》って少《すく》なきも、常《つね》に盞《さかずき》を把《と》るを以《もっ》て楽《たの》しみと為《な》し、往往《おうおう》にして頽然坐睡《たいぜんざすい》す。人《ひと》其《そ》の酔《すい》を見《み》るも、而《しか》れども吾《わ》が中《ちゅう》は了然《りょうぜん》たり。蓋《けだ》し能《よ》く其《そ》の酔《すい》たるか醒《せい》たるかを名《な》づくる莫《な》きなり」とある。

諸田　ええ、蘇東坡は飲酒の詩をたくさん作ってますが、酒量は少なかったみたいですね。

串田　それなのに陶淵明の熱狂的なファンだというのは……。

諸田　陶淵明にあこがれるのは、なにも酒豪だけではないですよ（笑）。

串田　生き方にあこがれる……。

諸田　最後の「偶〻《たまたま》得《え》たり　酒中《しゅちゅう》の趣《おもむき》／空杯《くうはい》　亦《ま》た常《つね》に持《じ》さん」は象徴的です。

串田　あまり飲めない蘇東坡が「空杯を常に持さん」というのは……。

諸田　一種の象徴表現でしょう。

串田　私なら、「飲む用意はできてますよ」っていう意思表示なんですがね。

諸田　蘇東坡も同じです。「出会った物は何でも受け容れる」、空《から》の杯《さかずき》はその具体的な実践です。

串田　なるほど。「いつも空《から》の杯《さかずき》を持ち歩こう」って、これもつまり「何ごとも運命だと受け容れて、人生を楽しもう！」ってことですね。

諸田　左遷《させん》を宣告されても、「ああそうですか、わかりました。あちらにも楽し

　　い出会いがあることでしょう」と受け容れる。

串田　飲酒から、そんな「悟りの境地」を得られるとはねえ……。

諸田　「人生とは、受容である!」、それが「酒中《しゅちゅう》の趣《おもむき》」です。

串田　そういえば陶淵明も、「飲酒　其の二」で「忽《たちま》ち一樽《いっそん》の酒《さけ》と/日夕《にっせき》　歓《よろこ》びて相《あ》い持《じ》せん」と詠《うた》っていますね。

諸田　そうなんです!　これ、「樽酒《たるざけ》を飲んで憂いを忘れ、人生を絶対に楽しんでやるぞ!」という、決意のようなものを感じます。

串田　いつどんな状況におかれても、そこで楽しみを見つけ、それを存分に享受するんだという覚悟ですね。

諸田　蘇東坡は、あまり酒は飲めませんでしたが、人生を楽しむ姿勢を陶淵明から学んだわけです。

串田　なるほど。では、次は陶淵明の「飲酒　其の一」とまいりましょうか。

諸田　了解です!　そして、われわれも酒を飲んで「悟り」を開きましょう。

串田　「悟り」より、「眠り」が先に来そうですが(笑)。

達人の飲酒

飲酒《いんしゅ》　其の一

①陶淵明《とうえんめい》

衰栄《すいえい》は定在《ていざい》無《な》く
彼此《ひし》　更〻《こもごも》之《こ》れを共《とも》にす
邵生《しょうせい》　瓜田《かでん》の中《うち》
寧《なん》ぞ東陵《とうりょう》の時《とき》に似《に》んや
寒暑《かんしょ》　代謝《だいしゃ》有《あ》り
人道《じんどう》も毎《つね》に茲《か》くの如《ごと》し
達人《たつじん》は　其《そ》の会《かい》を解《かい》し
逝〻《ゆくゆく》　将《まさ》に復《ま》た疑《うたが》わざらんとす

衰栄無定在
彼此更共之
邵生瓜田中
寧似東陵時
寒暑有代謝
人道毎如茲
達人解其会
逝将不復疑

① 「飲酒　其の十三」五二頁注①参照。

忽《たちま》ち　一樽《いっそん》の酒《さけ》と
日夕《にっせき》　歓《よろこ》びて相《あ》い持《じ》せん

忽与一樽酒
日夕歓相持

栄枯盛衰に　決まった居場所はない
あの人も　この人も　みな経験する
瓜畑《うりばたけ》にいる　邵《しょう》さんの変わりようは
東陵《とうりょう》の大名だったとは　信じられない
暑さ寒さは　入れ替わる
人間界も　同じこと
達人は　その道理をしかいと理解するから
だんだん　その事を疑わないようになる
されば　思いがけず手に入ったこの酒樽《さかだる》を
夕暮れごとに　抱え込み　存分に楽しもう

諸田　お待たせしました、陶淵明の「飲酒」詩です。

串田　前の蘇東坡《そとうば》「陶《とう》の飲酒《いんしゅ》に和《わ》す」の本《もと》になった詩ですね？

諸田　はい。この詩は「飲酒」二十首の「其の一」、最初に置かれた作品です。

串田　「[2]飲酒　其の十三」でも、陶淵明からエールを受けました。

諸田　「日が暮れたら、灯《あか》りをともして歓を尽くせ！」でしたね。

串田　しかし、「飲酒二十首」の中には、酒が登場しない詩もありますね？

諸田　酒が登場するのは半数ですが、すべて、酒を飲みながら書かれた作品です。

串田　蘇東坡は陶淵明にあこがれたわけですが、当の陶淵明があこがれたのは邵《しょう》生《せい》でした。

諸田　邵生って、『[3]史記《しき》』に登場する召平《しょうへい》のことでしょう？

串田　ええ。彼は秦《しん》末、東陵侯《とうりょうこう》、いわば大名《だいみょう》だったのに、秦が滅びると漢王朝には仕えず、田舎に引っ込んで暮らしました。

諸田　さしずめ、会社がつぶれたら別の会社を探さず……。

串田　脱サラして農業をはじめた……、という感じですね。

[2]五二頁。

[3]『史記』蕭《しょう》相国世家。

諸田　ところが、そこで栽培した瓜《うり》が何とも美味で……。

串田　「東陵の瓜（大名の瓜）」と呼ばれて有名になった。

諸田　それじゃ、まるで「瓜」で歴史に名を遺《のこ》したみたいじゃないですか。

串田　我が輩のウリは瓜じゃ（笑）！

諸田　えー、おやじギャグはさて置き、召平は漢の名宰相だった蕭何《しょうか》④の相談役として有名です。

串田　召平がいたからこそ、蕭何は漢の三傑⑤に算《かぞ》えられるほど活躍できたともいわれています。

諸田　それほど有能な人物が、次の漢王朝には仕えず、田舎で隠棲《いんせい》したわけです。

串田　陶淵明はその潔《いさぎよ》い生き方に共感したんでしょうね。

諸田　陶淵明も、四十一歳で役人生活をきっぱり辞め、田舎に帰って、畑仕事をして暮らしましたから。

串田　それに、召平は秦から漢へと王朝が交替した時代に生きた人ですし……。

諸田　陶淵明も、晋《しん》から劉宋《りゅうそう》に変わる時代を生きました。

④？〜前一九三年。高祖劉邦と同じ沛《はい》県（江蘇省徐州市）出身で、劉邦の天下統一を助け、漢朝成立の基礎を築いた。

⑤劉邦に仕えた三人の功臣、蕭何・張良・韓信。

串田　時代が大きく変わろうとする中で、自分はどう生きたらよいか、真剣に考えた人たちです。
諸田　身につまされますね。
串田　召平も陶淵明も、時代の移り変わりをしっかりと受け止めて、結局、田舎で気ままに暮らすのがいいと決断した。
諸田　世俗に身を置いて、地位や名誉を求めるより、瓜を育てる方がよっぽど「達人」の生き方だと。
串田　栄枯盛衰は定まらない、それが世のならいですから。
諸田　そんなことを当てにするより、目の前にある酒樽の方がずっと確かだ、と。
串田　しかも、確かな歓びを与えてくれるぞ、ってね。
諸田　でも、人間、そんなにあっさりと地位や名誉へのこだわりを捨てきれるものでしょうか？
串田　それができるのが「達人」だ、というんです。
諸田　昔から権勢に付和雷同《ふわらいどう》する「俗人」の方が圧倒的に多いわけですが……。

串田　そういう俗人の生き方を、陶淵明は愚かだと見ているわけです。

諸田　官界で名利《みょうり》を争うことがいかに虚《むな》しいか、身を以て体験していますからね、陶淵明は。

串田　だから目の前にある幸せ――お酒を、存分に享受するんです！

諸田　自分の心が感じる歓びに、正直に生きよう！　という決意ですね。

串田　だからこそ、数百年後の蘇東坡も感激して、あれほどたくさんの「和陶《わとう》⑥詩《し》」を詠《よ》んだ！

諸田　蘇東坡だけではありません。

串田　われわれも、同じです。

諸田　いえ、酒飲みはみんなそうです。

串田　納得、納得（笑）！

⑥「陶の飲酒に和す其の一」九八頁参照。

おつまみ——③白酒《バイジウ》の醸造〈2〉

（山東省臨沂《りんき》市蘭陵《らんりょう》県の白酒工場）

▲醗酵《はっこう》した穀類を「窖《こう》」から掘り出し、蒸し器で蒸溜する。秋から冬にかけて30回ほど繰り返し行う。

（写真提供：酒文化研究所）

「老窖」で醗酵させた白酒は、「百年」の文字を冠し最高級品として販売される。

四　漢詩歳時記

飲酒の楽しみは、春夏秋冬、四季のめぐりとともに移り変わるもの。一月から十二月まで、折々の行事にも思いを馳《は》せながら、季節ごとの飲酒詩を味わいましょう。

一月　お屠蘇《とそ》

元日《がんじつ》　①直江兼続《なおえかねつぐ》

②楊柳《ようりゅう》は其《そ》の賓《ひん》　花《はな》は主人《しゅじん》
屠蘇《とそ》　盞《さかずき》を挙《あ》げて③元辰《げんしん》を祝《しゅく》す
新《しん》を迎《むか》え旧《きゅう》を送《おく》りて④桃符《とうふ》を換《か》う
万戸千門《ばんこせんもん》　一様《いちよう》の春《はる》

柳は客人《まろうど》　梅は主《ぬし》
共にお屠蘇で　元日祝う
神棚に　新しい　桃のお札《ふだ》
どこの家も　みな　春の色

◇◇◇◇◇◇

楊柳其賓花主人
屠蘇挙盞祝元辰
迎新送旧換桃符
万戸千門一様春

①一五六〇～一六一九年。上杉家の家老。
②「楊」は枝のたれない「川やなぎ」、「柳」は「しだれやなぎ」。「楊柳」はその総称。
③元日のこと。「辰」は「日」のことで、吉日を「吉辰」「佳辰」ともいう。
④魔除けの札。二枚の桃の板に、門神の像や吉祥の言葉をかいて門の両側に取りつけ、悪鬼を払う。日本でも古くから流行し、今なお桃符を飾る地方がある。王安石「元日」一一九頁参照。

諸田　まずは一月、直江兼続の、お正月を詠《よ》んだ詩です。

串田　NHKの大河ドラマ「天地人」⑤の主人公でした。

諸田　越後《えちご》上杉《うえすぎ》家の一家臣ですが、このドラマで一躍有名になりました。

串田　テレビの力はすごい！

諸田　そんなことというと、米沢の人から叱《しか》られますよ。

串田　いえいえ、兼続あっての上杉家ですから。

諸田　またまた、そういうと上杉家に失礼です。

串田　もう止めましょう（笑）。閑話休題《それはさておき》、日本にも優れた漢詩を詠んだ人が少なくないのですが、この詩、できはどうなんでしょうか？

諸田　悪くないと思います。正月らしい気分がよくでていますし。

串田　でも、王安石《おうあんせき》の七言《しちごん》絶句「元日」⑥は、直江兼続のこの詩とそっくりですよ。

諸田　確かに。少なくとも、兼続は、王安石の詩を知っていて作ったのでしょう。

串田　まるでパクリ！

諸田　もう完全に米沢の人に恨まれましたね。

⑤「天の時は地の利に如《し》かず、地の利は人の和に如かず」（『孟子《もうし》』公孫丑《こうそんちゅう》下）。

⑥一一六頁。王安石（一〇二一〜一〇八六）については、「金山寺にて柳子玉と飲み大酔す」四八頁注⑥参照。

串田　では、「典故《てんこ》としている」と言い換えます。
諸田　お祝いの詩ですからね。それに、昔は著作権なんてなかったですし……。
串田　ご祝儀ってことにしておきましょう。
諸田　⑦関ヶ原の敗戦から間もないころの詩ですから、早くみなが幸せになってほしい、そんな祈願も、込められているんだと思います。
串田　「万戸千門《ばんこせんもん》　一様《いちよう》の春《はる》」ですね。
諸田　春らしく「柳」や「花」を登場させたのも、兼続のオリジナルです。
串田　ところで、この詩の「屠蘇《とそ》」ですけど、後漢《ごかん》末の名医⑧華佗《かだ》が処方した薬酒が起源、という伝説がありますね。
諸田　唐代にはもう屠蘇酒を飲む習慣があったようです。
串田　それ以前の⑨『荊楚歳時記《けいそさいじき》』にも、「元旦には正装して屠蘇酒を飲む」とありますから……。
諸田　中国の南の方では、六世紀には屠蘇酒を飲んでいたことになりますね。
串田　日本でも、十世紀、平安時代には広く飲まれていたとか。

⑦この詩は慶長七年（一六〇二）の作。主君の上杉景勝が、関ヶ原の敗戦の責めを受け、会津から米沢に移住したのが慶長六年。それから半年足らずの時期にあたる。

⑧？〜二一二年。後漢末から三国（魏）の薬学者で、曹操の典医。晋の葛洪《かっこう》『肘後方《ちゅうごほう》』引く陳延之『小品方』に「屠蘇酒、此《こ》れ華佗の方なり。以て伝えて曹武帝に授け、専ら世に行わる。元旦、之《こ》れを飲めば疫癘《えきれい》一切の不正を辟《さ》く」と。

⑨梁《りょう》の宗懍《そうりん》撰。六朝時

諸田　ええ、『⑩土《と》佐《さ》日記』にも、「年末に医者が屠蘇《とうそ》に酒を添えて持ってきた」と出てきます。

串田　その「屠蘇《とうそ》」って、いろんな薬草を調合した漢方薬のことでしょ？

諸田　日本で「屠蘇散」と呼んでいるのも、薬草を砕《くだ》いた粉末です。

串田　屠蘇を酒に漬《つ》けたのが「屠蘇酒」、だから長寿延命の薬効があると……。

諸田　「邪気を屠《ほふ》り心身を蘇《よみがえ》らせる」から「屠蘇」、なんて説もありますが。

串田　いかにも日本人好みの解釈です。

諸田　でも、「屠蘇《とそ》　盞《さかずき》を挙《あ》げて元辰《げんしん》を祝《しゅく》す」の句に、みなの長寿延命を祈る気持ちが込められているのは確かでしょうね。

串田　それはそうと、「お屠蘇は歳の若い者から順に飲む」って、知ってました？

諸田　へえ！　普通は家長が先でしょう？

串田　これまた『荊楚歳時記』に、「若者は歳を得るから先、老人は歳を失うから後」とあります。

諸田　大晦日《おおみそか》は「年取り」ともいいますが、老人になると年を失うんですかね？

代の荊楚（湖北省・湖南省）地方の年中行事や風俗を記した歳時記。日本には奈良時代に伝わった。

⑩紀貫之《きのつらゆき》が土佐から京へ帰る五十五日間のできごとをもとに記したもの。屠蘇の記録は、九日目（九三四年十二月二十九日）に大湊《おおみなと》に宿泊したときの日記にみえる。

串田　日本じゃ、若者の精気を年長者にあげるためだといってます。いずれにせよ、こじつけですね。

諸田　もしかして毒味なんじゃありません？　毒と薬は紙一重ですから。

串田　確かに、昔は親[11]が薬を服用するときには、まず子供が毒味をすることになっていましたからね。

諸田　すごい、親孝行の実践！　ところで、お正月に屠蘇を飲む習慣って、中国では、今はもうないんじゃありません？

串田　おそらく。お屠蘇専用の朱色の漆器《しっき》、「屠蘇器《とそき》」というそうですが、これも中国にはないようですね。

諸田　もともと漆器も酒器も中国伝来の物ですから、屠蘇器もルーツは中国かもしれませんが、今の屠蘇器は、日本人の発案だと思います。

串田　でしょうね、盃が小さすぎますから。兼続たちが使った屠蘇器も、ほぼ同じサイズだったでしょう。

諸田　実はですね、お屠蘇って関西では定着していたようですが、関東ではあま

⑪「君、疾《やまい》有りて薬を飲めば、臣、先ず之《こ》れを嘗《な》む。親、疾有りて薬を飲めば、子、先ず之れを嘗む」（『礼記《らいき》』曲礼下）。

り一般的ではないんです。

串田　そうなんですか？　私は大阪ですから、子供のころ、正月にはお屠蘇を飲まされました。

諸田　静岡では「お屠蘇」とはいうものの、実際は普通の日本酒でした。

串田　じゃ、直江兼続も、薬酒のお屠蘇を飲んでいたかどうか、わかりませんね。

諸田　どうだったんでしょう。昔は正月にお屠蘇はつきものだったのかも……。

串田　そうですね、漢方薬は生活に根ざしていましたからね。

諸田　それに、一年の初めを家族そろって祝おう、という思いも、現代人よりずっと強かったでしょうし。

串田　詩にいう「新《しん》を迎《むか》え旧《きゅう》を送《おく》りて桃符《とうふ》を換《か》う」ですね？

諸田　ええ、新しい年を迎える気持ちです。これは今も健在です。

串田　だから、お正月の酒は誰もが安心して飲めるわけですよ。

諸田　朝から晩までね。

串田　ご祝儀です、お正月ですもん（笑）。

二月　春節

元日《がんじつ》　①王安石《おうあんせき》

爆竹《ばくちく》の声中《せいちゅう》　一歳除《いっさいじょ》す
春風《しゅんぷう》　暖《だん》を送《おく》って　屠蘇《とそ》に入《い》る
千門万戸《せんもんばんこ》　②瞳瞳《とうとう》たる日《ひ》
総《すべ》て新桃《しんとう》を把《と》りて旧符《きゅうふ》に換《か》う

◇◇◇◇◇◇◇

爆竹が鳴り響くなか　一年が終わる
春風《はるかぜ》が吹き入って　暖かい　お屠蘇
都中《みやこじゅう》の家で　初日《はつひ》が昇る元日の朝
新年を祝って　門《かど》のお札を新しくする

爆竹声中一歳除
春風送暖入屠蘇
千門万戸瞳瞳日
総把新桃換旧符

①一〇二一～一〇八六年。北宋の政治家・文人。「金山寺にて柳子玉と飲み大酔す」四八頁注⑥参照。
②朝日が輝きはじめるさま。

諸田　旧暦の正月、中国では春節《しゅんせつ》ですが、中国人にとっては今もこちらの方が本格的なお正月ですね。

串田　大陸だけでなく、台湾でもシンガポールでも、いわゆる華人社会はどこでも同じです。

諸田　日本の中華街③もそうです。

串田　世界中にあるチャイナ・タウンでも、旧正月を祝います。

諸田　ええ。新暦のお正月は、普段とほとんど変わりませんね。

串田　それはそうと、これが前回話題にのぼった、王安石の「元日」です。

諸田　直江《なおえ》兼続《かねつぐ》がパクったとお叱りになった、例の詩ですね。

串田　いや、あれは言い過ぎでした。でも、お屠蘇に、桃符に、千門万戸……、どれもこれも重なってますがね。

諸田　まあ、王安石のこの詩は、今でも中国人なら誰もが知っている、超有名な作品ですから。

串田　いわば、春節の詩の定番ですもんね。兼続もやはり意識せざるを得なかっ

③「中華街」は日本で生まれた呼称。中国人はどこの国のチャイナ・タウンも「唐人《タンレン》街《ジェ》」と呼ぶ。

たんでしょう。

諸田　しかも、王安石は北宋時代を代表する大政治家で、詩も散文も超一流の腕前でしたから。

串田　それにしても、春節のエキスがぎっしり詰まった詩ですね。

諸田　いきなり「爆竹」で始まりますし。

串田　爆竹は、中国のお正月には不可欠ですから。

諸田　ええ。今でもけたたましく鳴らします。

串田　あっちでも、こっちでも、至るところで鳴らしますから、うるさくって耳をふさぎたくなります。

諸田　私、はじめて聞いたときには、内戦でも始まったか!?　と思いました（笑）。

串田　日本人には小型ダイナマイトみたいに思えます。

諸田　それが百個くらい一斉に爆発するんですから、すさまじい！

串田　かなり前から都市部では禁止になってるはずですが、近年復活しているようですね？

諸田　爆竹がないと正月気分になれないんでしょうね、きっと。
串田　わさびのない寿司みたい？
諸田　ドーンと鳴る「打ち上げ花火のない花火大会」って、想像できます？
串田　ハレの日を盛り上げる音響効果ですね。
諸田　もともと爆竹は、青竹を焼いて爆発させたわけで、爆音が重要なんです。元来魔除《まよ》けですから。
串田　なるほど、それで「爆竹」ね。
諸田　王安石のころには、今のような紙筒製のものもあったようです。
串田　へえー、そうなんですか。ところで、最後の「新桃《しんとう》を把《と》りて旧符《きゅうふ》に換《か》う」は、兼続の詩にもあった「桃符」のことですね？
諸田　ええ、桃の板に魔除けの神様を画《か》いたり、一年の幸福を願う言葉を書いたりしたようです。
串田　桃は邪気をはらう木だと思われていましたからね。
諸田　その桃符が、いつごろからか、元日に門の両側に貼り出す「春聯《しゅんれん》」になっていったわけです。

串田　あの赤い紙の一対の聯の由来は、桃符だったんだ……。

諸田　そのようです。ですから、そこには、例えば「春風、福を送り、喜気《きき》、門に臨む（春風送福／喜気臨門）」と書かれたり……。

串田　「人に笑顔有らば春にも老いず、室に和気《わき》存すれば福は無辺（人有笑顔春不老／室存和気福無辺）」とか、ね。

諸田　年が改まり初日《はつひ》が昇るときには、門のお札も張り替えて、すがすがしく気分一新するわけです。

串田　その情景を詠んだのが、「千門万戸《せんもんばんこ》　曈曈《とうとう》たる日《ひ》／総《すべ》て新桃《しんとう》を把《と》りて旧符《きゅうふ》に換《か》う」ですね？

諸田　はい。しかも、今もしっかりと中国人の生活に根付いている、お正月の恒例行事です。

串田　直江兼続も「新《しん》を迎《むか》え旧《きゅう》を送《おく》りて桃符《とうふ》を換《か》う」と詠《よ》んでいましたから、かつては日本人も同じように「桃符」を貼っていたんですね。

春聯の貼られた門

諸田　今では門松やら、しめ縄《なわ》やらになりましたが。

串田　真っ赤な春聯のような派手さはありませんね。

諸田　日本の春の陽射《ひざ》しにふさわしい淡い色合いです。

串田　私ね、二句目の「春風《しゅんぷう》　暖《だん》を送《おく》って　屠蘇《とそ》に入《い》る」、実にいいなあと思うんです。

諸田　春節のころは、実は一番寒いんでしょうけど……。

串田　お屠蘇を飲むと――普通の酒でもいいんですが、まるで春風が体に入って来たように暖かく感じます。

諸田　それで気持ち良くなって、ごろりと横になる？

串田　すると、ついうとうとして眠ってしまう。

諸田　目が覚めたら、もうお昼！

串田　④「春眠《しゅんみん》暁《あかつき》を覚《おぼ》えず」です。

諸田　めでたいお正月です、遠慮なく、朝寝をどうぞ。

串田　では、お言葉に甘えて横になります（笑）。

④「春眠暁を覚えず／処処《しょしょ》啼鳥《ていちょう》を聞く／夜《や》来《らい》風雨の声／花落つること知る多少」（孟浩《もうこう》然《ねん》「春暁《しゅんぎょう》」）。

三月　春風に誘われて

①少年行《しょうねんこう》　②李白《りはく》

③五陵《ごりょう》の年少《ねんしょう》　金市《きんし》の東《ひがし》
銀鞍《ぎんあん》　白馬《はくば》　春風《しゅんぷう》を渡《わた》る
落花《らっか》　踏《ふ》み尽《つ》くして　何《いず》れの処《ところ》にか遊《あそ》ぶ
笑《わら》って入《い》る　胡姫《こき》　④酒肆《しゅし》の中《うち》

◇◇◇◇◇◇

都のいなせな若者は　市場《いちば》の東　盛り場へ
銀の鞍《くら》置く白馬に乗って　春風《はるかぜ》切って進みゆく
散る花弁《はなびら》を踏みつくし　今日は何処《いずこ》で遊ぶのか
笑って入《はい》ったその先は　異国娘のバーの中《なか》

五陵年少金市東
銀鞍白馬渡春風
落花踏尽遊何処
笑入胡姫酒肆中

① 「行」は「歌」の意。
② 「内に贈る」二八頁注①参照。
③長安の西北に漢代の五つの陵墓があったことから地名となった。豪族が別邸を構えていた。
④酒を売る店。また、酒を飲ませる店。酒屋・飲み屋。

諸田　三月、春もいよいよ本番ということで、李白の「少年行」です。

串田　さすがは「中国酒飲み界の大御所」、五度目の登場ですね。

諸田　李白なくして、中国の酒は語れません。

串田　しかし、いかに大御所とはいえ、「少年」のぶんざいで「異国娘のバー」で豪遊とは！

諸田　まったく、けしからん！

串田　じゃなくて、「羨ましい！」でしょう？

諸田　冗談はさておき、詩題の「少年行《しょうねんこう》」ですが、漢詩でいう「少年」は、「若者」という意味ですから、三十前までは「少年」なんです。

串田　古代の歴史書でも同じです。「年少《わか》し」の意味ですね。

諸田　唐詩には「少年行」⑤と題する作品が多いんです。

串田　「行《こう》」といえば、これまで「西門行《せいもんこう》」⑥がありました。

諸田　いずれも漢代の楽府《がふ》の題目で、歌詞だけ替わる、替え歌のようなものです。

串田　ところで、一句目の「金市」って、長安（陝西《せんせい》省西安市）にある盛り場で

⑤王維・王昌齢・鄭愔《ていいん》らにも同題の詩があるほか、李益「漢宮少年行」、崔国輔「長楽少年行」、高適《せき》「邯鄲《かんたん》少年行」などがある。いずれも楽府「結客《けっかく》少年場行」に基づく。

⑥一〇頁。

すよね？

諸田　ええ、長安の「西の市《にしのいち》」ですね。当時の長安には東市《とうし》と西市《せいし》、二つの市がありました。

串田　そこにはお店が集中していたんでしょう？

諸田　盛り場もあったようです。要するに、新宿や渋谷みたいな場所です。

串田　新橋ではない、ということね。

諸田　若者のたまり場ですから……。しかも「夜遊び」もあり得ません。

串田　当時の長安は、夜間外出禁止でしたね。でも、いろんな国から人がやってくる国際都市でしたから、さぞかし賑《にぎ》やかだったことでしょう。

諸田　人種の坩堝《るつぼ》、今ならさしずめパリとかニューヨークといったところ。人口も百万を超えていたともいわれます。

串田　日本から行った、多くの留学生や留学僧も、必死に学んでいました。

諸田　遣唐使は全部で二十回ほど派遣され、合計五千人を超える日本人が、唐に渡って勉強したようです。

串田　しかも、どっさりお土産を持って帰国しました。それにしても、この詩、実に色彩豊かですね。
諸田　「銀」の鞍、「白」い馬、「金」の市場、落花の「赤」。絢爛豪華《けんらんごうか》だし、エキゾチックですよね。李白らしい詩です。
串田　「胡姫《こき》」って、だいたいペルシャ系でしょ？
諸田　そうですね、さしずめイランあたりの女性を思い浮かべたらいいんじゃないでしょうか。
串田　青い眼にスーッと鼻筋の通った、巻き髪の美女……。
諸田　チョットチョット、うっとりしていませんか？
串田　わかりました？
諸田　そんな美女のいる店なら、李白じゃなくても引き込まれてしまいますよ。
串田　李白自身も、漢民族ではなかったんでしょう？
諸田　ええ、異民族の血が混じっていたようです。父親は西域《せいいき》出身の貿易商だったともいわれています。

串田　すると、漢民族とは容貌⑦も違っていたから、目立ったでしょうね。

諸田　そんな李白でも、国際都市長安の盛り場なら、逆にリラックスできたのかもしれません。

串田　バーでは、やっぱり葡萄《ぶどう》酒を飲んだんでしょうか？

諸田　どうでしょう？　赤ワインに酔いしれる李白……。確かに、この詩からは、シルクロードとの強いつながりが感じられますね。

串田　葡萄はもともと西域から伝来した果物ですが、ほかにも「胡」の字が付く物は、たいていシルクロード経由で伝わったものです。

諸田　胡麻《ごま》、胡椒《こしょう》、胡瓜《きゅうり》など、みなそうです。ついでに胡座《あぐら》も。

串田　ところで、李白は、長安でもやっぱり、大酒を飲んでいたようで……。

諸田　⑧「三百六十日《さんびゃくろくじゅうにち》／日日《ひび》酔うて泥《どろ》の如《ごと》し」が、李白の真骨頂です。

串田　「百年⑨　三万六千日／一日須《すべから》く三百杯を傾くべし」とも詠《よ》んでますしね。

「休肝日」なんて野暮なことは言いません。

諸田　何しろ、自ら「酒仙《しゅせん》」と豪語していましたし……。

⑦魏顥《ぎこう》「李翰林集序《りかんりんしゅうじょ》」に「眸子《ひとみ》は炯然《けいぜん》、哆《くちおおき》こと餓《う》えたる虎《とら》の如《ごと》し」とある。

⑧「内に贈る」二八頁参照。

⑨「（前略）鸕鷀《ろじ》の杓《しゃく》／鸚鵡《おうむ》の杯／百年　三万六千日／一日須《すべから》く三百杯を傾くべし／遥《はる》かに看る漢水鴨頭《おうとう》の緑／恰《あたか》も似たり　葡萄の初めて醅《ばい》を醱《はっ》するに／此《こ》の江　若《も》し変じて春酒と作《な》らば／塁麹《るいきく》も便《すなわ》ち築かん糟邱台《そうきゅうだい》（後略）」（「襄陽歌《じょうようか》」）。

串田　⑩「天子《てんし》呼《よ》び来《き》たれど船《ふね》に上《のぼ》らず／自《みずか》ら称《しょう》す　臣《しん》は是《こ》れ酒中《しゅちゅう》の仙《せん》と」でしたね？

諸田　玄宗《げんそう》皇帝からお呼びがかかったのに、飲み屋で泥酔していて、船に上れなかったんです。

串田　やっぱり「仙人」、「自由人」ですねえ。

諸田　だからこそ、今でも人気があるんでしょう。

串田　玄宗皇帝も、初対面でいきなり、⑪お手製の料理で李白を持てなしたとか。

諸田　破格の待遇です。

串田　それに、酒は春風のように人の心を解きほぐして、自由な世界に誘《いざな》ってくれますし……。

諸田　そんな「自由」を求めて、李白もせっせと酒場に通ったのでしょう。

串田　じゃ、われわれと同じじゃないですか。

諸田　ホント、同じですね（笑）。

⑩「李白一斗詩百篇／長安市上　酒家に眠る／天子呼び来たれど船に上らず／自ら称す臣は是れ酒中の仙と」（杜甫「飲中八仙歌」）。当時の名だたる酒豪八人を、道教の八仙人になぞらえて戯れに詠んだ作品。

⑪『新唐書』李白伝に「帝、食《しょく》を賜《たま》い、親《した》しく調羹《ちょうこう》（料理）を為《な》す」とある。

四月　清明節

①清明《せいめい》　②杜牧《とぼく》

清明《せいめい》の時節《じせつ》　雨《あめ》　③紛紛《ふんぷん》
路上《ろじょう》の行人《こうじん》　魂《たましい》を断《た》たんと欲《ほっ》す
④借問《しゃもん》す　酒家《しゅか》　何《いず》れの処《ところ》にか有《あ》る
牧童《ぼくどう》　遥《はる》かに指《ゆび》さす　杏花村《きょうかそん》

◇◇◇◇◇◇◇

春の盛り　清明節《せいめいせつ》に　降りしきる霧雨《きりさめ》
ひとり行く　旅の身は　魂まで凍《こご》えそう
酒屋はどこかと　牛飼いの子に　問えば
指さす遥かその先に　杏《あんず》の花咲く　村ひとつ

清明時節雨紛紛
路上行人欲断魂
借問酒家何処有
牧童遥指杏花村

①二十四節気のひとつ。新暦の四月五日前後。春風が吹いて暖かくなり、空気は新鮮で爽やか、新芽もふいて、明るく清らかになる。そのため「清明」と呼ばれる。

②八〇三～八五三年。李商隠と共に晩唐を代表する詩人。字《あざな》は牧之《ぼくし》、京兆《けいちょう》府万年県（陝西《せんせい》省西安市）の人。杜甫を「老杜」、杜牧を「小杜」とも呼ぶ。

③入り乱れるさま。しきりに降るさま。

④「しゃもん」と読み、「ちょっとお尋ねしますが」という意。

諸田　四月は清明節なので、杜牧の七言《しちごん》絶句「清明」です。

串田　清明節は二十四節気⑤のひとつですが、中国では「お墓参りの日」として、今でもちゃんと生きていますね。

諸田　冬至から数えて百五日目、春分から数えて十五日目。今の暦でいえば、四月の四日とか五日あたりですね。

串田　中国では連休になっていますから、墓参りやら旅行やら、家族連れでドッと人が出ます。

諸田　このお節句、日本では花見と重なるせいか、あまり馴染みがないですね。

串田　ええ。でも、沖縄には、今でも「清明祭」というのがあって、「シーミー」と発音するそうです。

諸田　「シーミー」は「清明《チンミン》」、中国語ですね。やはりお墓参りですか？

串田　沖縄を研究している知人の話によれば、「シーミー」はまるでピクニック、墓参《ぼさん》の後は、みんなでご馳走を楽しむんだそうです。

諸田　それ、完全に中国です！　中国では清明節を踏青節《とうせいせつ》とも呼ぶんですが、「踏

⑤春夏秋冬をそれぞれ六つに分けて季節を表す。春は立春・雨水《うすい》・啓蟄《けいちつ》・春分・清明・穀雨に分かれる。

青」って、要するにピクニックのことですから。
串田　芽ぶいた青草を踏みながら野《の》に遊ぶ、という意味で、日本でも俳句の季語になっています。
諸田　このころは季節もいいし、親族が集《つど》って、外で会食するには最適です。当然、酒も振る舞われて……。
串田　日本のお盆や法事のようなものですね。
諸田　でも、仏教では、一応、酒は御法度《ごはっと》ですよね？
串田　儒教では、酒はつきものです。
諸田　考えてみれば、法事で酒を飲むのって、おかしなことですね。
串田　日本の仏事には、儒教が混入していますから。
諸田　これも雑種文化⑥の一例なんでしょう。
串田　ところで、清明節は、四月の初めごろですから……。
諸田　寒さも緩《ゆる》み、太陽も暖かく輝き始める時期ですね。
串田　ところが、杜牧の詩では、せっかくのハレの日に雨が降り、しかも道連れ

⑥評論家の加藤周一（一九一九〜二〇〇八）が日本文化の特徴として提唱した考え方。『雑種文化』（講談社文庫）参照。

もいない一人旅。

諸田　だから、降る雨に身も心も凍えて「魂を断たれるようだ」というんです。

串田　杜牧といえば「⑦江南《こうなん》の春《はる》」が有名ですが、やはり酒と雨が出てきます。

諸田　「酒旗《しゅき》の風《かぜ》」「烟雨《えんう》の中《うち》」ですね。江南地方は、春に雨が多いところで、清明節のころに降る雨を「杏花雨《きょうかう》」といいます。

串田　すると、この詩も江南が舞台ですか？

諸田　異説もありますが、今は江南ということにしましょう。

串田　山西省《さんせい》に「杏花村」という村があって、そこで造った⑧汾酒《フェンジウ》の商標にもなってます。

諸田　そうそう、日本にも輸入されていて、「杜牧の詩に謳《うた》われた銘酒」なんていうキャッチ・コピーを見たことがあります。

串田　違うでしょう！　この詩の「杏花村」は固有名詞じゃなくて「杏《あんず》の花咲く村」……。

諸田　そうなんですけどね。「杏花村」が、春景色の象徴になったり、酒場を指

⑦一三四頁。

⑧山西省汾陽県産の焼酎。高粱《ガオリャン》が主原料。北《ほく》斉《せい》第四代皇帝の武成帝（在位五六一～五六五）が飲んだ「汾清」がルーツとされる（『北斉書』文襄六王伝）。当初は黄酒《ファンジウ》（醸造酒）であったが、その後白《バイ》酒《ジウ》（蒸留酒）になり、俗に「焼酎」といった。

すようになったのは、この詩に始まるようです。

串田　なるほど。江南とはいえ、「春雨じゃ、濡れて行こう」[9]というには、まだちょっと寒い。

諸田　そこでお酒の登場と相成ります。「せっかくじゃ、飲んでまいろう、暖まろう」と。

串田　でも、子供に飲み屋のありかを尋ねるのも、どうなんでしょうね？

諸田　そこがこの詩のいいところですよ！　いろいろ想像力をかきたてられるでしょう？

串田　牛と牧童、他には誰もいない、のどかな田舎の風景……。

諸田　きっとこの子は、「大人は困ったもんだ」とでも言いたげに、遥か彼方《かなた》を、黙って指さしたんですよ。

串田　それで、指さす先に目をやると、満開の杏《あんず》の花が目に飛び込んでくる……。何ともニクイ表現ですね。

諸田　「雨」のモノクロの世界に、「花」の淡いピンクがパーッと浮かび上がって、

⑨新国劇「月形半平《つきがたはんぺい》太《た》」の中の有名なせりふ。

串田　さらに、青い旗の⑩「酒屋」がある、というわけです。

諸田　まるで桃源郷《とうげんきょう》ですね。

串田　映画のひとコマのような、美しい情景が目に浮かびます。

諸田　詩の前半では、杜牧は冷たい雨のなか、孤独に道を急ぐ旅人でしたが……。

串田　後半では、旅人は立ち止まり、牛飼いの子供に酒屋のありかを教えてもらっています。

諸田　動と静のコントラストが、効いています。

串田　杏花村を遠く目にしただけで、旅人の胸には、酒の暖かさがふわーっと広がったんじゃないでしょうか。

諸田　「経験者は語る」ですね。

串田　はい（笑）！

⑩「江南の春」一三七頁参照。

山西省杏花村の汾酒《フェンジウ》
牧童を牛から降ろすと栓がある

五月　春爛漫

①江南《こうなん》の春《はる》　②杜牧《とぼく》

千里《せんり》　③鶯《うぐいす》啼《な》いて　緑《みどり》　紅《くれない》に映《えい》ず
水村山郭《すいそんさんかく》　酒旗《しゅき》の風《かぜ》
④南朝《なんちょう》　四百八十寺《しひゃくはっしんじ》
⑤多少《たしょう》の楼台《ろうだい》　烟雨《えんう》の中《うち》

千里鶯啼緑映紅
水村山郭酒旗風
南朝四百八十寺
多少楼台烟雨中

鶯が鳴き　緑と花が照り映《は》える　千里の春景
水辺の村　山ぞいの街に　はためく酒屋の幟《のぼり》
南朝の昔に建てられた　四百八十もの寺々《てらでら》
その名残《なごり》の寺塔が　春雨《はるさめ》の中に煙っている

①長江（揚子江）下流の南方、江蘇《こうそ》省・安徽《あんき》省・浙江《せっこう》省の豊かな農耕地帯をいう。
②「清明」一二八頁注②参照。
③中国の「鶯」は高麗《こうらい》鶯。日本の「うぐいす」と違って頭と背が黄色く、「黄鳥」ともいう。
④東晋の後、建康《けんこう》（南京）に都を置いた劉宋・斉《せい》・梁・陳の四王朝（四二〇～五八九年）。
⑤「数多くの」の意。

諸田　「四月」の清明節《せいめい》でも話題に出た「江南の春」です。

串田　日本で最も親しまれた漢詩のひとつですね。

諸田　それに、五月にぴったり！　そこで続けて、杜牧に登場してもらいました。

串田　「清明」の舞台は江北《こうほく》だ、という説もあるようですが、この詩は間違いなく江南が舞台。

諸田　長江《ちょうこう》（揚子江《ようすこう》）の南、蘇州《そしゅう》や杭州《こうしゅう》、南京《なんきん》あたりです。

串田　長江を境にして、中国の風土は大きく変わりますね。

諸田　風土が変われば食事も変わります。大きくいえば、長江より北では小麦食、南では米食が中心です。

串田　「南船北馬《なんせんほくば》」ともいいますね。中国大陸の南部は、川が多いから船で旅し、物を運ぶ……。

諸田　北部は乾燥した陸地、だから馬で旅し、物を運ぶ。で、「南船北馬」です。

串田　でも、これ、実は『淮南子《えなんじ》』にある、⑥「胡人《こひと》は馬《うま》に便《たく》みにして、越人《えつひと》は舟《ふね》に便《たく》みなり」が出典なんです。

⑥「各〻宜《おのおのよろ》しき所有りて、人の性《せい》は斉《ひと》し。胡人は馬に便みにして、越人は舟に便みなり。形を異《こと》にし類を殊《こと》にするもの、事を易《か》えれば而《すなわ》ち悖《もと》り、処《ところ》を失えば而ち賤《いや》しく、勢を得れば而ち貴《とうと》し」（『淮南子』斉俗訓）。

諸田　「北方の人は馬を、南方の人は船を、巧みにあやつる」ということですか。

串田　すると、もともとは、意味が違ってたんですね？

諸田　『淮南子』では、士農工商のことを論じていて、「人は適材を適所に、方法や手段はそれぞれの状況に応じて対処すべし」という意味でした。

串田　日本では、「南船北馬」を、「あちこち旅して忙しい」とか、「東奔西走」の意味で使いますが、本義は「適材適所」なんだ。

諸田　成語の意味が、日本で変化することはよくあります。もっとも「南船北馬」は、中国本土でも、本義から少しずれている気もします。

串田　そうですね。今では、長江を境にして「北と南では風物も文化も違う」という意味で、使われているようですから。

諸田　ところで、江南地方は「温暖で風光明媚《ふうこうめいび》な土地」と思われていますが、冬は暖房設備がないので、実に寒い。

串田　ええ、長江以南の大学では暖房禁止ですから。みんな凍えてますよ。

串田　これまた今に受け継がれた「長江を境にする伝統」です。

諸田　それでも中国人は、江南地方に強いあこがれを持っていて、今でも住みたがる人が多いですね。

串田　「上に天堂《てんどう》（極楽）有り、下に蘇《そ》・杭《こう》有り」です！

諸田　やっぱり、蘇州や杭州あたりは「天国のようなところ」なんですね。

串田　この「江南の春」にも、自然や風土の美しさが存分に表現されています。

諸田　この詩は南京《なんきん》の情景ですが、前半二句の色彩は、実に鮮やかです。

串田　若葉の緑と花の紅色、それから……。

諸田　⑦酒旗の青、です。

串田　そうそう、青旗《せいき》とか青旆《せいはい》とか、酒屋の幟《のぼり》はどうして青なんですか？

諸田　昔から青と決まってるんですが、どうしてでしょうね……。

串田　私は⑧五行《ごぎょう》じゃないかと……。

諸田　五行思想ですか？

串田　ええ。五行の配当では、木《もく》の季節は春、春の色は青、その感情は喜です。

諸田　春と喜び、なるほど、酒にぴったりですね。

⑦「紅版の江橋　青き酒旗」（白居易「楊柳枝詞」）、「青旆《せいはい》の酒家黄葉の寺」（陸游「冬初出遊」）、「青幟《せいし》濶《ひろ》さ数尺／往来の道に懸《か》かる」（皮日休《ひじつきゅう》「酒旗」）など、酒屋の旗はどれも青い。酒屋に旗幟を掲げる風習は古く、『韓非子《かんびし》』（外儲説《がいちょせつ》右上）にもみえる。

⑧世界を「木《もく》・火《か》・土《ど》・金《ごん》・水《すい》」の五元素（五行）で説明する古代中国の自然観。「五時」は春・夏・土用・秋・冬、「五色」は青・赤・黄・白・黒、「五情」は喜・楽・慾《よく》・怒・哀が、順に配当される。

串田　でしょう？　でも、真偽のほどはわかりません（笑）。

諸田　後半の二句は、一転してモノトーンの世界、まるで墨絵のような情景です。

串田　カラフルな前半と対照的に、霧雨《きりさめ》に煙る寺院の影……。水墨画に描かれる風景に、江南地方が多いのもわかります。

諸田　この詩にいう「南朝《なんちょう》」では、首都建康《けんこう》（南京）を中心に、仏教が厚く信仰されました。

串田　「南朝《なんちょう》　四百八十寺《しひゃくはっしんじ》」……。

諸田　僧侶や尼僧《にそう》も、十数万人住んでいたといいます。

串田　四百八十もの寺院が建立《こんりゅう》された、というのはわかりますが、「四百八十寺」、どうして「しひゃくはっしんじ」と訓《よ》むのか、前から疑問でした。

諸田　中国での解釈に基づいて、日本では昔から伝統的にそう訓《よ》んでいます。

串田　その中国での解釈というのは？

諸田　江南地方の方言だという説がひとつ……。

串田　杜牧はこの詩を江南で作ったので、江南方言で訓むのだと？

諸田　ほかに、⑨平仄《ひょうそく》の関係で「しん」となった、という説もありますが、実のところよくわかりません。

串田　だいたい「伝統的」というのは眉唾《まゆつば》が多いですが、まあ、今は尊重しておきましょう（笑）。話は戻って、後半の二句ですが、単なる情景描写ではないんですよね？

諸田　はい、仏教を敬《うやま》った古都の歴史を詠じているのだと思います。「時間」を表現するにはモノトーンがぴったりです。

串田　「幻影」の表現、ということですか？

諸田　そうですね……。あ、もしかしたら、後半の句を拈《ひね》っていたとき、杜牧はそうとう酩酊《めいてい》していたのかもしれません。

串田　まさか、それで目が霞《かす》んだのだと？

諸田　あり得ませんか（笑）？

串田　あり得ません！

⑨漢字の声調（平声《ひょうしょう》・上声・去声・入声《にっしょう》）を「平」と「仄（傾くの意）」に分類し、「平」字と「仄」字を規則的に配置して、リズムや音の調和を生み出す作詩のルール。

六月　晴耕雨飲

連雨独飲《れんうどくいん》（部分）①

陶淵明《とうえんめい》②

運生《うんせい》は会《かなら》ず尽《つ》くるに帰《き》す
③終古《しゅうこ》　之《こ》れを然《しか》りと謂《い》う
世間《せけん》に④松 喬《しょうきょう》有《あ》らば
今《いま》に於《お》いて定《はた》して何《いず》れの間《かん》にかあらん
故老《ころう》　余《わ》れに酒《さけ》を贈《おく》り
乃《すなわ》ち言《い》う　飲《の》めば仙《せん》を得《え》んと
試《こころ》みに酌《く》めば百 情《ひゃくじょう》遠《とお》く
觴《さかずき》を重《かさ》ぬれば忽《たちま》ち天《てん》を忘《わす》る

運生会帰尽
終古謂之然
世間有松喬
於今定何間
故老贈余酒
乃言飲得仙
試酌百情遠
重觴忽忘天

①全詩は巻末二一二頁。
②「飲酒　其の十三」五二頁注①参照。
③昔からいつも。
④伝説上の仙人、赤松子と王子喬。赤松子は太古の神農《じんのう》のとき、崑《こん》崙《ろん》山に入って仙人となり、風に乗って移動したという。王子喬は周王朝の仙人。白い鶴にまたがり、笙《しょう》を吹いて雲中を飛んだという。漢・劉向《りゅうきょう》『列仙伝』に伝記がある。

天《てん》 豈《あ》に此《こ》こを去《さ》らんや
真《しん》に任《まか》せて⑤先《さき》んずる所無《ところな》し

いのちは　いつか尽きるもの
昔から　言われてきたことさ
この世に　仙人たちがいたそうな
今はいったい　どこにいるのやら
村の古老が　酒をくれて言う
これを飲めば仙界に行けますぞ
なるほど　一杯で世俗の憂《う》さが遠く去り
杯を重ねると　仙界など忘れてしまった
仙界に行っても　この心地《ここち》と近いはず
天真に身をまかせ　無我の境地になれる

◇◇◇◇◇◇◇◇◇◇◇◇◇◇◇◇◇◇◇◇◇◇◇

天豈去此哉
任真無所先

⑤『老子』第六十七章に「敢《あ》えて天下の先と為《な》らず。故に能《よ》く器の長と成る」とあるのを踏まえる。我意を離れ、人と先を争わないからこそ、すべてを受け入れる「器の長」になれる、という。

諸田　梅雨の季節ということで、陶淵明の「連雨独飲」です。

串田　連日の雨で、酒を飲むしかすることがありませんか？

諸田　ええ、「晴耕雨読」ならぬ「晴耕雨飲」です。

串田　それにしてもこの詩、ずいぶん長い作品ですね。

諸田　五言《ごごん》で十六句あります。ここにとりあげたのは初めの十句。

串田　いかにもノー天気な詩にもみえますが、冒頭の「運生《うんせい》は会《かなら》ず尽《つ》くるに帰《き》す／終古《しゅうこ》　之《こ》れを然《しか》りと謂《い》う」は深刻です。

諸田　そうですね、「生あるものは必ず死滅する、昔からその通りだと言う」ですからね……。

串田　さらに、「この世には仙人がいたらしいが、今はいったいどこにいるのか」と続くんですから、ドキッとします。

諸田　遅かれ早かれ、人は死ぬもの……。

串田　つまり、仙人になれる、なんて信じていませんね、陶淵明は。

諸田　でも、ひとつだけ方法がある、と。

串田　ズバリ、酒、ですね？

諸田　ハイ！　なにしろ酒は、「忘憂《ぼうゆう》の物」ですから。

串田　それって、陶淵明の「飲酒」⑥？

諸田　「此《こ》の忘憂《ぼうゆう》の物《もの》に汎《う》かべ／我《わ》が世《よ》を遺《わす》るるの情《じょう》を遠《とお》くす」です。

串田　酒は「憂いを忘れさせてくれる物」ですか……。

諸田　⑦「九日閑居《きゅうじつかんきょ》」の詩でも、「酒は能《よ》く百《もろもろ》の慮《うれ》いを祛《はら》う」とあります。

串田　なるほど、現実のイヤなことを忘れるには、酒が一番ということですね。

諸田　この「連雨独飲」でも、酒を飲めば世俗の憂さを離れ、「天真に身をまかせて無我の境地になれる」なんて……。

串田　まるで仙人！

諸田　省略した後半では、「不思議な翼を持った鶴に乗って、世界の果てまで飛んで来たような気分だ！」とも言っています。

串田　さらに「世間《せけん》に松喬有《しょうきょうあ》らば／今《いま》に於《お》いて定《はた》して何《いず》れの間《かん》にかあらん」と続けてますから、気分はすっかり、仙人の赤松子《せきしょうし》か王子喬《おうしきょう》です。

⑥「秋菊　佳色有り／露を裛《まと》いて其《そ》の英《はな》を掇《と》る／此の忘憂の物に汎《う》かべ／我が世を遺《わす》るるの情を遠くす／一觴《いっしょう》独り進むと雖《いえど》も／杯尽きて壺自《おの》ずから傾く（後略）」（「飲酒　其の七」）。

⑦「酒は能《よ》く百慮を祛《はら》い／菊は解《よ》く頽齢《たいれい》を制す」の対句がある。

諸田　白い鶴にまたがって空を飛んだのは、王子喬のほうでしたね。

串田　それにしても、どんな酒だったんでしょう、世界の果てまで飛んでいける酒って？

諸田　私ならどんな酒でも飛んでいけます！

串田　危ない、危ない！

諸田　冗談はさておき、省略した後半の句に「⑧我《わ》れ茲《こ》の独《どく》を抱《いだ》いてより／僶俛《びんべん》すること四十年《しじゅうねん》」とありまして、四十歳ころの作だとわかります。

串田　陶淵明もすでに⑨不惑《ふわく》ですか……。

諸田　四十を過ぎると孤独もいや増します。

串田　身につまされますか？

諸田　私はもう「天命を知る」年ですから、孤独になど動じません！

串田　ご立派！　省略した最終句の「⑩形骸《けいがい》は久《ひさ》しく已《すで》に化《か》するも／心在《こころあ》り　復《ま》た何《なに》をか言《い》わん」の境地ですか？

諸田　確かに「形骸（肉体）の衰えを止《と》めることはできない」のは深刻です。で

⑧「僶俛」は、つとめ励むこと。巻末二一三頁参照。

⑨「子曰《いわ》く、『吾《わ》れ十有五にして学に志す。三十にして立つ。四十にして惑わず。五十にして天命を知る。六十にして耳順《したが》う。七十にして心の欲する所に従いて矩《のり》を踰《こ》えず』と」（『論語』為政篇）。

⑩巻末二一三頁参照。

も、「心在り（精神は健在）」なのだから、もうそれで十分だと、陶淵明はいうんですね。

串田 「⑪酒を止《や》む」のような、禁酒宣言めいた詩を詠《よ》んでおきながら、実際には酒を止めようとしない、その本当の理由は、ここにあるんじゃ？

諸田 酒を飲めば、すべてを天真（自然）に委《ゆだ》ねる心境になれる、そういうことでしょうか？

串田 ちっぽけな自我意識など捨て去って、他人と争わない、という境地です。

諸田 そんな境地を、飲酒によって孤独に守り続けたわけですね、陶淵明は。

串田 なかなかできることではありません。

諸田 われわれも「僶俛《びんべん》すること」ならぬ、「飲酒すること四十年」です。いい勝負じゃありません？

串田 でも、肝心の「無我の境地」をなくしちゃった！

諸田 俗人ですなあ。

串田 いかにも（笑）。

⑪陶淵明六十歳ころの作。すべての句に「止」の字を使った戯詩。串田久治「『天の美禄』を止めますか？」参照。http://www.sakebunka.co.jp/archive/culture/

七月　暑気払い

暑中閑詠《しょちゅうかんえい》　①蘇舜欽《そしゅんきん》

②嘉果《かか》　浮沈《ふちん》して　酒半《さけなか》ば醺《よ》い
牀頭《しょうとう》の書冊《しょさつ》　乱《みだ》れて③紛紛《ふんぷん》
④北軒《ほっけん》に涼風《りょうふ》吹きて⑤疎竹《そちく》開《ひら》き
臥《ふ》して看《み》る　青天《せいてん》に白雲《はくうん》の行《ゆ》くを

嘉果浮沈酒半醺
牀頭書冊乱紛紛
北軒涼吹開疎竹
臥看青天行白雲

◇◇◇◇◇◇

水中の果物はゆーらゆら　私はふーわふわ
枕辺《まくらべ》の書物は　乱れてばーらばら
北の窓辺に　吹いて来る　竹林からの涼しい風
横たわれば　青空を流れゆく　白い雲が見えた

①一〇〇八～一〇四八年。北宋の詩人。字《あざな》は子美。号は滄浪翁《そうろうおう》。開封《かいほう》（河南省）の人。宋詩では梅堯臣《ばいぎょうしん》と名声を等しくし、「蘇梅」と並び称された。時の宰相・杜衍《とえん》の娘を娶ったが、政治革新グループに参加したため排斥され、官を辞して蘇州に隠居した。
②美味しい果物。中国最古の地理書『山海経《せんがいきょう》』西山経「不周山」に「爰《ここ》（不周山のふもと）に嘉果有り。其《そ》の

串田　七月ともなると、暑いですね、毎日。
諸田　ホント、冷えたビールでも飲まなきゃたまりません。
串田　この詩は蘇舜欽《そしゅんきん》の作ですが、真っ昼間からほろ酔い気分ですね。
諸田　われわれも見習って、一杯やりましょう。
串田　と言いながら、何杯目？
諸田　まだまだほろ酔いまではいきません。
串田　ところで、この人、政争に巻き込まれて左遷されたのでは？
諸田　はい。名門の出で、宰相の娘と結婚したボンボンでしたが、反対派に陥れられて……。
串田　「飲み屋で接待した費用を公金でまかなった」かどで弾劾《だんがい》され、政界から追放されたんでしたね？
諸田　今の政治家だって、公金で飲み食いしてますが……。
串田　ホント、「公金を使って豪遊！」なんてニュース、しょっちゅうです。
諸田　当時だって、珍しくもなかったでしょうにね。

実は桃の如《ごと》く、其の葉は棗《なつめ》の如く、黄の華にして赤の柎《ふ》（萼《がく》）。之《こ》れを食すれば労せず」とあり、別名「不労果（疲労を消してくれる果物）」と称した。
③入り乱れるさま。
④北の家。「軒」は家や部屋の意。
⑤まばらに生えた竹林。

串田　ただ、それがばれたときに、違いが出ます。嘘で固めたり開き直ったりする人もいれば、潔《いさぎよ》く身を引く人もいます。

諸田　蘇舜欽は結果的に身分を剝奪《はくだつ》され、蘇州《そしゅう》（江蘇省）に隠棲《いんせい》しました。

串田　⑥「淮中《わいちゅう》　晩《ばん》に犢頭《とくとう》に泊《はく》す」という詩がありますが、これって、蘇州へ行く旅の途中で生まれた作品ですか？

諸田　淮河《わいが》を船で下って蘇州まで行ったのでしょうから、おそらく犢頭《とくとう》は、その途中の船着き場、そこでの作だと思います。

串田　「春陰《しゅんいん》　野《の》に垂《た》れ（春の雨雲がたれ込めて今にも降り出しそう）」なんて、なんだか寂しそうです。

諸田　さらに「満川《まんせん》の風雨《ふうう》（川いちめんに風雨が吹きつける）」という表現からも、心細い心境がみてとれます。ともあれ、彼は四十一歳で亡くなりましたが、最後の四年は蘇州で暮らしました。

串田　彼の別荘だった滄浪亭《そうろうてい》は、今でも蘇州四大名園⑦のひとつですね。

諸田　そこで滄浪翁《おう》と名乗り、読書と詩作にふけった。まあ、典型的な文人です

⑥「春陰《しゅんいん》　野《の》に垂《た》れて　草青青《くさせいせい》たり／時《とき》に幽花《ゆうか》の一樹《いちじゅ》に明《あき》らかなる有《あ》り／晩《ばん》に孤舟《こしゅう》を泊《はく》す古《こ》祠《し》の下《もと》／満川《まんせん》の風雨《ふうう》　潮《うしお》の生《しょう》ずるを看《み》る」。

⑦滄浪亭・獅子林・拙政園・留園。それぞれ宋・元・明《みん》・清《しん》を代表する庭園で、中国の造園の歴史を知ることができる。

串田　ね。

諸田　「⑧明窓浄几《めいそうじょうき》」という四字熟語も、確か蘇舜欽でした。

串田　ええ、読書に最適な、明るく清らかな書斎をいう言葉です。

諸田　とりあげた詩も、夏の暑さを忘れさせるような、爽《さわ》やかな詩です。

串田　彼には「⑨夏意《かい》」という七言《しちごん》絶句もあります。酒は出てきませんが。

諸田　彼は夏が好きだったのかもしれませんね。

串田　「夏意」の詩も、ひんやりした離れで、昼寝から目覚めたときの詩ですが、この詩に劣らず、すがすがしい詩です。

諸田　どれどれ、「樹陰《じゅいん》　地《ち》に満《み》ちて　日《ひ》は午《ご》に当《あ》たる（正午の日差しに照らされ、庭一面に広がる木陰《こかげ》）」ですか……、優雅ですね。

串田　この「暑中閑詠」でも、竹林の広がる別荘で、酒と書物に親しみながら、青空を行く白い雲を眺める……、なんとも羨ましい限りです！

諸田　そんな生活環境は、われわれには望むべくもありません。

串田　だから、冷えたビールで暑気払いです！

⑧北宋・欧陽脩《おうようしゅう》「試筆」に「蘇子美《そしび》、嘗《つね》に言う、明窓浄几《めいそうじょうき》、筆《ひっ》硯《けん》紙《し》墨《ぼく》、皆《みな》精良《せいりょう》を極《きわ》むるは、亦《ま》た自《おの》ずから是《こ》れ人生《じんせい》の一楽《いちらく》なりと」とある。

⑨「別院《べついん》深深《しんしん》として夏《か》簟《てん》清《すず》し／石榴《せきりゅう》開《ひら》くこと遍《あまね》く簾《すだれ》を透《す》かして明《あき》らかなり／樹陰《じゅいん》　地《ち》に満《み》ちて日《ひ》は午《ご》に当《あ》たる／夢《ゆめ》覚《さ》むれば流鶯《りゅうおう》時《とき》に一声《いっせい》」。

串田　冒頭の「嘉果《かか》浮沈《ふちん》して酒《さけ》半《なか》ば醺《よ》い」ですが、水に浮かぶ果物が揺れるのにあわせて、酔った蘇舜欽も揺れている、そんな様子が目に浮かびます。

諸田　どんな果物が、水に浮かんでたんでしょう？

串田　それより、果物をあてにして、飲んだのでしょうか？

諸田　やっぱり、この果物は、酒の肴《さかな》だと？

串田　気になりますね。

諸田　まあ、「フルーツで一杯！」なんてのも、なかなか洒落《しゃれ》てますよ。

串田　ごもっとも（笑）。そうそう、⑩「牀頭《しょうとう》の書冊《しょさつ》乱《みだ》れて紛紛《ふんぷん》」で思い出したんですが、蘇舜欽には面白いエピソードがありましたね。

諸田　義理の父親の話ですね？

串田　ええ。蘇舜欽の酒量は半端じゃなかったそうで……。

諸田　彼は読書しながら酒を飲む習慣があって、⑪テロリストが始皇帝《しこうてい》の暗殺に失敗した段になると、「失敗したとは悔しい!!」と、机を叩《たた》いて叫んでいたそうです。

⑩元・陸友仁『研北雑志』。

⑪『史記』刺客《しかく》列伝にある、秦の始皇帝暗殺の記録。戦国時代の荊《けい》軻《か》は秦王政《せい》（後の始皇帝）を暗殺しようとしたが失敗。後に荊軻の友高漸離《こうぜんり》も始皇帝暗殺を企てたが、これまた失敗した。司馬遷は「正義」を貫く刺客として二人を称えた。

串田　そうやって、いろんな場面で大声をあげては、大杯《たいはい》を傾けていた……。

諸田　心配した義理の父も、その様子を見て、「歴史書が酒の肴では、大酒も仕方がないわい」と納得したとか。

串田　私も毎晩のように、読書しながら酒を飲みますが、最近では机を叩く前に寝息をたててます。

諸田　蘇舜欽の詩を読む限りでは、穏やかな文人というイメージなんですが……。

串田　実際は、かなりの豪傑だったようですね。

諸田　しかもすごい強面《こわもて》だったようで、「覧照《らんしょう》」という詩に、「目のつり上がった我が鬚面《ひげづら》を見たら、女子供《おんなこども》はびっくりするに違いない」と、自分で言ってます。⑫

串田　風雅な文人趣味と、豪放磊落《ごうほうらいらく》な男伊達《おとこだて》とのギャップ、この「矛盾の同居」が魅力の源泉かもしれませんね。

諸田　同感です。われわれも矛盾だらけなんですが……。

串田　魅力アップにつながっていかないのが辛《つら》いところです。

⑫「鉄《てつ》の面《つら》　蒼《あお》き鬚《ひげ》　目《め》に稜《かど》有《あ》り／世間《せけん》の児《じ》女《じょ》　見《み》れば須《すべか》らく驚《おどろ》くべし」と。

八月　避暑山荘にて

暑《しょ》を山園《さんえん》に避《さ》く

①王世貞《おうせいてい》

残杯《ざんぱい》　移《うつ》して傍《そ》う　水辺《みずべ》の亭《てい》
暑気《しょき》　人《ひと》を衝《つ》いて　忽《たちま》ち自《おの》ずから醒《さ》む
最《もっと》も喜《よろこ》ぶ　樹頭《じゅとう》　風定《かぜさだ》まりし後《のち》
②半池《はんち》の③零雨《れいう》　半池《はんち》の星《ほし》

◇◇◇◇◇◇

飲みかけの酒を手に　水辺まで来たが
ここも酷《ひど》い暑さ　酔いも醒めてしまった
でも嬉しいことに　梢《こずえ》を揺らす風が止《や》むと
小雨降る池の水面《みなも》に　星々の光が煌《きら》めいた

残杯移傍水辺亭
暑気衝人忽自醒
最喜樹頭風定後
半池零雨半池星

①一五二六～一五九〇年。明《みん》代の政治家・文人。太倉（江蘇省）の人。字《あざな》は元美、号は弇《えん》州《しゅう》山人。「文は秦漢、詩は盛唐」を尊ぶ古典主義を唱え、第十四代皇帝・神宗の万暦年間（一五七三～一六二〇年）の文壇に君臨した。
②池の面に小雨が落ちる一方で、同じ水面に星が映っている。
③静かに降る雨。小雨。「零」は雨が静かに降る意。

串田　王世貞は明《みん》王朝の人ですね。

諸田　江戸時代の漢詩にも大④きな影響を与えた詩人です。

串田　ところで、夏はやはり「冷えたビール」といきたいところですが、この酒はどうだったんでしょうね？

諸田　中国人は、もともと冷たいものは飲みませんでしたから、常温の酒かなと思いますが。

串田　漢方医に言わせると、冷やした酒は体に悪いのだとか……。

諸田　白楽天の「陶潜《とうせん》の体《たい》に効《なら》う詩《し》」で話題に出た⑤『養生訓《ようじょうくん》』にも、同じようなことが書いてあります。

串田　そうそう、「⑥凡《およそ》酒は夏冬ともに、冷飲熱飲に宜《よろ》しからず。温酒をのむべし」ですね。

諸田　熱くても冷たくてもダメ、〽⑦お酒はぬるめの燗《かん》がいい……です。

串田　〽肴《さかな》はあぶったイカでいい……ね（笑）。

諸田　ともあれ、貝原益軒《かいばらえきけん》は本草《ほんぞう》学者ですから、中国医学に基づいて、夏でも冷

④江戸時代の儒学者・荻生徂徠《おぎゅうそらい》（一六六六～一七二八）は、王世貞ら明代古文辞派の影響を受け、盛唐中心の『唐詩選』を尊んだ。そのため、江戸時代の詩風は、それまでの禅僧を中心とする鎌倉・室町の五山文学（宋代文学を規範とした）から大きく転換した。

⑤「陶潜の体に効う詩」九三頁注⑪参照。

⑥「凡《およそ》酒は夏冬ともに、冷飲熱飲に宜しからず。温酒をのむべし。熱飲は気升《のぼ》る。冷飲は痰《たん》をあつめ、胃をそこなふ。丹渓は、『酒は冷飲に

たい酒は止《や》めておけ、というんですよ。

串田　「冷飲は痰《たん》をあつめ、胃をそこなう」とか「脾胃《ひい》⑧を損ず」とかいってますが、これ、今の医学でも認められているんでしょうか？

諸田　医学部の先生に会ったら確認しておきましょう。

串田　もともと日本酒で「冷酒」というのは、「冷やした酒」というより、「温めない酒」という意味です。

諸田　そもそも冷蔵庫なんてなかったんですから、「冷や」といえば常温、燗をしない、ということだったでしょう。

串田　それが今じゃ、冷蔵庫で冷やした冷酒がオシャレ、なんでしょうね。

諸田　最近ではクラッシュ・アイスに日本酒を注いで飲んだり、日本酒のシャーベットなんてのもあります。

串田　ビールだって同じです。今でこそ冷えたビールを飲めますが、中国では、ついこの間まで、ビールは常温があたりまえでした。

諸田　都会のレストランでさえ、出てくるのは生ぬるいビール。「要冰的《ヤオビンダ》（冷《つめ》た

宜し』といへり。然《しか》れ共《ども》、多くのむ人、冷飲すれば脾胃《ひい》を損ず。少《すこし》飲む人も、冷飲すれば、食気を滞《とどこお》らしむ」（『養生訓』飲食下「飲酒」）。

⑦一九七九年に八代亜紀《やしろあき》が歌ってヒットした「舟唄《ふなうた》」。作詞は阿久悠《あくゆう》（一九三七～二〇〇七）。

⑧胃腸・膵臓《すいぞう》・肝臓・胆嚢《たんのう》・小腸など、消化器系の臓器をいう。

いヤツ）」と何度も叫んだものです！

串田　それが今じゃすっかり変わりました。

諸田　夏でも熱いお茶を飲んでいた中国人が、今やお茶もビールも、冷たくして飲みます。やはり美味には勝てません。

串田　王世貞も、この暑い盛りに少しでも旨《うま》い酒を飲もうと、山荘に避暑に来たんですね。

諸田　ところが、この日はひどい暑さで、少しは涼しかろうと池のほとりに移動してきたら、そこにも熱気がムッと押し寄せて来て……。

串田　せっかくの酔いも醒めてしまった。でも、暑くて酔いが醒めるなんて、ありますか？

諸田　どうでしょう？　あまりの暑さに「興ざめ」したとか？

串田　猛暑では何もする気になりませんからねえ。

諸田　実際、夏に作られた漢詩は、春や秋にくらべてずっと数が少ないんです。

串田　詩人も夏バテですかね。

諸田　そんな炎熱を洗い流すかのように、救いの夕立が降ったんですね、きっと。

串田　なるほど、それで「樹頭《じゅとう》　風定《かぜさだ》まりし後《のち》／半池《はんち》の零雨《れいう》　半池《はんち》の星《ほし》」か。それにしても美しい詩句ですね。

諸田　池の水面には、木々の枝からでしょうか、まだ雨の余滴が落ち、その一方で、星の光が雲の切れ間から湖面にキラキラと映じている。

串田　さすが書画に通じた王世貞⑨、酔いしれるほどの美しさです。

諸田　夕立で一気に暑気も払われて……。

串田　それで詩を作る気になったと？

諸田　たぶん（笑）。考えてみれば、むせかえるほどの暑さの中で酒を飲むことなんて、今じゃ、まずありませんよね？

串田　手ぬぐい首に、団扇《うちわ》パタパタ、それでも吹き出す汗を拭《ふ》き拭き酒を飲む……、これまた乙《おつ》なものですよ。

諸田　イヤー、私は現代人なので、エアコンの効いた部屋で飲みたいです。

串田　それでは王世貞の飲酒の醍醐味《だいごみ》は味わえません。

⑨『弇州《えんしゅう》書画題跋《だいばつ》』や『古今法書苑』など、書画に関する著作が多い。

諸田　ウーン……、確かにちょっと味気ないかも。

串田　自然の中で酒を飲むからこそ、自然の営みの美しさも発見できるというものです。

諸田　そうですね。王世貞は、暑さにせっかくの酔いも醒めてしまったと言いながら、この美しい自然の営みを肴《さかな》に、またぞろ杯を満たして、飲み始めたことでしょう。

串田　私もそう思います。息をのむほどの美しい景色に酔いしれた、と言いつつ、やはり花より団子、星よりお酒です。

諸田　どんなに暑くても、暑ければ暑いなりに酒を楽しむこと、これが「夏の酒」なんでしょうね？

串田　それって「左党《さとう》の詭弁《きべん》」でしょう。

諸田　まあ、そうですね（笑）。

九月　重陽《ちょうよう》の節句

九日《きゅうじつ》　①斉山《せいざん》に②登高《とうこう》す　③杜牧《とぼく》

江《こう》は秋影《しゅうえい》を涵《ひた》して　雁《かり》初《はじ》めて飛《と》び
客《きゃく》と壺《つぼ》を携《たずさ》えて　④翠微《すいび》に上《のぼ》る
塵世《じんせい》　逢《あ》い難《がた》し　開口《かいこう》の笑《わら》い
菊花《きくか》　須《すべか》らく満頭《まんとう》に挿《さ》して帰《かえ》るべし
但《た》だ酩酊《めいてい》を将《も》って佳節《かせつ》に酬《むく》いん
用《もち》いず　登臨《とうりん》して落暉《らくき》を恨《うら》むを
古往今来《こおうこんらい》　只《た》だ此《か》くの如《ごと》し
⑤牛山《ぎゅうざん》　何《なん》ぞ必《かなら》ずしも　涙《なみだ》　衣《ころも》を霑《うるお》さん

江涵秋影雁初飛
与客携壺上翠微
塵世難逢開口笑
菊花須挿満頭帰
但将酩酊酬佳節
不用登臨恨落暉
古往今来只如此
牛山何必涙霑衣

①池州《ちしゅう》（安徽《あんき》省池州市）の南方、長江南岸にある山。杜牧は会昌四年（八四四）から会昌六年まで池州刺史の職にあった。
②九月九日（重陽の節句）には、高い山に登り、髪に茱萸《ぐみ》（山椒《さんしょう》の一種）の枝をさして菊酒を飲み、邪気を払う習慣があった。
③「清明」一二八頁注③参照。
④山頂より下の八合目あたりをいう。ここでは斉山をさす。
⑤斉《せい》の都臨淄《りんし》（山東省淄博市）の南にある山。

秋一色の長江に　初雁が飛ぶころ
一升瓶を抱《かか》えて　客人と斉山《せいざん》に登った
世の中　愉快に笑えるときなど滅多にない
だから菊の花を　頭いっぱいに挿《さ》して帰ろう
思う存分酔っぱらって　お節句を祝おうよ
やめな　夕日を見て恨《うら》み言《ごと》いうなんてさ
昔から人は　こうして老いてきたんじゃないか
牛山に登って涙した　⑥景公《けいこう》の気が知れないね

◇◇◇◇◇◇◇◇◇◇◇◇◇◇

諸田　九月は、四月・五月でとりあげた杜牧に、三たびご登場いただきました。

串田　四月の清明節でも話に出ましたが、中国の古い伝統が残っている節句が、日本にはけっこうあるんですよ。

諸田　人日《じんじつ》（一月七日）が「七草粥《ななくさがゆ》を食べる日」になったり、上巳《じょうし》（三月三日）が「ひな祭り」になったりと、姿は変わっていますが。

⑥斉の景公（前五四七〜四九〇）。春秋時代、斉国の君主。

串田　「端午の節句」も「こどもの日」になって久しいですね。

諸田　そろそろ「節句」も死語になりそうな気配ですよ。

串田　詩題にある「九日《きゅうじつ》」は九月九日、⑦重陽《ちょうよう》の節句ですが、この節句は明治の改暦でなくなってしまいました。

諸田　長崎の秋祭り「おくんち」は、「九日《くにち》」がなまって「くんち」になったともいわれますが、だとすると重陽の節句の名残《なごり》ですね？

串田　私はそう思います、他にも説はあるようですが。

諸田　「くんち」が、九州北部の長崎・佐賀・福岡にだけ残っているというのも、中国との因縁《いんねん》を感じさせます。

串田　端午の節句も、沖縄では「ハーリー」、長崎では「ペーロン」、さながら中国の「龍船《ロンチュアン》」のような、ボートレースを行なっています。

諸田　沖縄も長崎も中国に近いから、お節句にも中国由来の伝統が残っているんでしょうね。清明節も、沖縄でははっきり残っていますし……。

串田　ずいぶん脱線しました（笑）。重陽の節句に戻りましょう。

⑦王勃《おうぼつ》「蜀《しょく》中九日」、杜甫「登高」、王維「九月九日　山東の兄弟を憶《おも》う」をはじめ、重陽の節句を詠んだ詩は多い。菅原道真にも「重陽後一日」と題する漢詩がある。近年、中国では旧暦九月九日を「老年節（敬老の日）」と定めた。

諸田　重陽の節句には、高い所に登って菊酒《きくしゅ》⑧を飲み、長寿を祈るのが、中国の習わしです。

串田　菊酒については、いずれまた登場してもらうとして、中国人は今でもこの日を祝いますね。

諸田　大学でこの詩を紹介すると、「お節句って、中国にもあるんですか」なんて聞く学生がけっこういるんですよ。

串田　そうそう！

諸田　端午の節句や七夕《たなばた》を、日本固有の伝統行事だと信じて疑わない……。

串田　一月七日、三月三日、五月五日、七月七日、九月九日、陽数（奇数）の重なる日を佳日《かじつ》として祝う、なんて説明しても、「何の話？」ですね（笑）。

諸田　そもそも、今の日本では、節句に酒を飲むという習慣がありませんし。

串田　正月くらいでしょうか、皆で酒を飲んでお祝いするのは。節句ではありませんが。

諸田　節句は子供の祭りになってしまいましたからね。

⑧漢・劉歆《りゅうきん》『西京雑記《せいけいざっき》』巻三の記述から、紀元前百年ごろには、菊花の醸造酒が長寿の薬酒とされており、重陽の節句に飲む習慣があったことがわかる。日本伝来の時期は不明だが、平安朝の貴族は、菊酒を飲み重陽の節句を祝っていた。

串田　この際、子供から取り返しましょうか。
諸田　やっぱり杜牧のように、酔っぱらいながら節句を祝いたいわけですね？
串田　しかも、気の合う友人がお客なら、申し分なし！
諸田　杜牧も、ちょうどこのとき、遠くから友人が訪ねてきてくれました。
串田　先輩詩人の⑨張祜《ちょうこ》ですね。
諸田　ええ。それで連れだって斉山に登ったわけです
串田　一升瓶を抱えてね。で、このとき四十三歳でしたか？
諸田　ええ。ちょうど安徽《あんき》省の刺史《しし》をしていました。
串田　日本なら県知事にあたる職務ですね。
諸田　若いときには芸者遊びに溺《おぼ》れて、浮き名を流した風流人でしたが……。
串田　今では知事の職務に追われ、心の底から笑えることなんて滅多にない。
諸田　「塵世《じんせい》　逢《あ》い難《がた》し　開口《かいこう》の笑《わら》い」ですね。
串田　だからこそ、今日の佳《よ》き日には、酩酊《めいてい》して「今この時」を楽しむ、それでこそ「佳節《かせつ》に酬《むく》いる」ことになる、そういうんでしょう。

⑨七九二？〜八五二？年。晩唐の詩人。清河（山東省）の人。字《あざな》は承吉。科挙試験に失敗し、晩年は流浪の旅に出る。平易な詩風で知られ、放浪中に歴訪した名勝・名刹《めいさつ》の詩が多い。

諸田　でも、「古往今来《こおうこんらい》　只《た》だ此《か》くの如《ごと》し」、人生って昔からこうしたもんだとは、ちょっと投げやりじゃないですか？

串田　なんと、未熟ですねえ（笑）。そこがこの詩の妙味です。

諸田　でも、詩の最後に出てくる「斉《せい》の景公の嘆き」⑩、杜牧はこれをも「嘆くなんてばかげてる」と突き放しています。

串田　人はみないつか死を迎える、だから、「用《もち》いず　登臨《とうりん》して落暉《らくき》を恨《うら》むを」、落日を見て恨み言をいうなんて意味がないと……。

諸田　夕日が沈んでいくように、やがて人も衰え、死んでいく、それを受け入れようということですね。

串田　それが通常の、自然な在り方ですからね。

諸田　なるほど。だからこそ逆に、生きている「今、この時」が、貴重だと感じられる。

串田　そして「今」を楽しむのに「酒」ほどいいものはない！

諸田　おやおや、また「左党《さとう》の詭弁《きべん》」ですね（笑）。

⑩斉の景公が牛山から都を臨み、「この美しい国と別れる（死ぬ）のは悲しい」と嘆いたのを、晏子《あんし》が「いかなる名君でも死は避けられないのに、自分だけ死を免れたいというのは間違っている」と諫《いさ》めた故事（『晏子春秋』内篇諫上）に基づく。

十月　名月に乾杯！

水調歌頭《すいちょうかとう》①（部分）

蘇東坡《そとうば》②

明月《めいげつ》　幾時《いつ》よりか有《あ》る
酒《さけ》を把《と》りて青天《せいてん》に問《と》う
知《し》らず　天上《てんじょう》の宮闕《きゅうけつ》
今夕《こよい》　是《こ》れ何《いず》れの年《とし》なるかを
我《わ》れ風《かぜ》に乗《の》りて帰去《ききょ》せんと欲《ほっ》すれど
惟《た》だ恐《おそ》る　③瓊楼《けいろう》玉宇《ぎょくう》の
高《たか》き処《ところ》　寒《かん》に勝《た》えざらんことを
起《た》ちて舞《ま》い　清影《せいえい》を弄《ろう》すれば
何《なん》ぞ人間《じんかん》に在《あ》るに似《に》ん

明月幾時有
把酒問青天
不知天上宮闕
今夕是何年
我欲乗風帰去
惟恐瓊楼玉宇
高処不勝寒
起舞弄清影
何似在人間

①全詩は巻末二一四頁。
②「金山寺にて柳子玉と飲み大酔す」四六頁注②参照。
③美しい宝玉でできた宮殿。月の世界のこと。
④旧暦八月十五日。新暦では九月中旬〜十月上旬ごろに当たる。この時期の満月は、一年で最も円に近く美しいとされる。中国では、

明月《めいげつ》よ　いつからそこで輝いているのか
酒を手にして　天に問うた
いったい　天上の宮殿では
今夜は　どんな年の　中秋《ちゅうしゅう》節にあたるのか
風に乗り　行ってみたいが
高い月の玉殿は　寒くて　耐えられまい
月明かりの下《した》　自分の影と戯れ踊っていると
この世のことは　思われない

諸田　蘇東坡の「中秋の名月」④をうたった名作です。

串田　テレサ・テン⑤の歌「但願人長久《ダンユエンレンチャンジウ》」⑥で有名になりましたね。

諸田　その前から有名です！

串田　まあ、そうかもしれませんが、日本では、彼女の歌がヒットしたので、広く知られるようになりましたし、台湾や中国でも、若者が古典を見直す

春節（旧正月）・元宵《げんしょう》節（旧暦一月十五日）・端午節とならんで四大節句のひとつ。月餅《げっぺい》を親しい人や世話になった人に贈る習慣がある。

⑤一九五三～一九九五年。台湾出身の歌手。中国名は鄧麗君《ダンリージン》。日本だけでなく、台湾・大陸中国・香港・シンガポール・タイ・マレーシアなどで絶大な人気を博し、「アジアの歌姫」と呼ばれた。

⑥蘇東坡「水調歌頭」を歌詞として、曲をつけたもの。一九八三年発売のアルバム「淡淡幽情」に収められた。

きっかけになったようですよ。

諸田　確かに、そういう意味では、彼女のおかげで蘇《よみがえ》ったといえるかもしれませんね。

串田　ただ、テレサ・テンが歌うと、いかにも恋人を思う切ない歌のように聞こえるのですが……。

諸田　いえいえ、この詩は恋人ではなく、弟の蘇轍《そてつ》のことを思いながら詠《よ》んだものです。

串田　ですよね？　徹夜⑦で飲んで、酔っぱらって作った詩でしょう？

諸田　およそロマンチックとはほど遠い。

串田　それにしても「酒を手に、月に聞いてみた、お前はいつから輝いているんだい？」なんて、心憎い表現ですね。

諸田　実はこれ、李白《りはく》の詩「酒《さけ》を把《と》りて月《つき》に問《と》う」をふまえた句なんです。

串田　李白なんですか！

諸田　「青天《せいてん》　月有《つきあ》りて来《こ》のかた幾時《いくとき》ぞ／我《わ》れ今《いま》　杯《さかずき》を停《とど》めて一《ひと》たび之《こ》れに問《と》わ

⑦「序」に「丙辰《へいしん》の中秋、歓飲して旦《あさ》に達す。大いに酔いて、此《こ》の篇を作り、兼ねて子由《しゆう》を懐《おも》う」とある。「子由」は弟の蘇轍《そてつ》のこと。

ん」とあります。

串田　なるほど。そういえば、⑧賀知章《がちしょう》じゃなかったですかね、李白のことを「⑨謫《たく》仙人《せんにん》」と呼んだのは？

諸田　はい。それで李白は、月に行ってみたくなったのかもしれません。

串田　というより、「天界から流された仙人」ですから、故郷に帰りたくなったんじゃ？

諸田　そんな李白にあこがれて、酒を飲んだ蘇東坡も、月の世界に行ってみたくなっちゃった（笑）。

串田　じゃ、最後の二句「起《た》ちて舞《ま》い　清影《せいえい》を弄《ろう》すれば／何《なん》ぞ人間《じんかん》に在《あ》るに似《に》ん」も李白？

諸田　「⑩我《わ》れ歌《うた》えば　月《つき》　徘徊《はいかい》し／我れ舞《ま》えば　影《かげ》　⑪凌乱《りょうらん》す」です。

串田　ですね？　ところで、⑫序文には「丙辰《へいしん》（一〇六七年）の中秋節に、朝まで飲み、大いに酔っぱらって作った」とありますね。

諸田　はい。蘇東坡に限らず、中国では、中秋の名月は、酒を飲みながら鑑賞し

⑧六五九～七四四年。盛唐の詩人。越州永興（浙江《せっこう》省蕭山《しょうざん》県）の人。字《あざな》は季真。李白や杜甫とも親交があった。酒を好み、酒席で感興の赴くままに詩文を作り、紙のあるに任せて大書した。杜甫の「飲中八仙歌」では八仙の筆頭に挙げられている。

⑨天界から地上に流された仙人、の意

⑩「月下独酌　其の一」。

⑪入り乱れるさま

⑫注⑦参照。

ます。これは今でも同じです。

諸田　なのに、日本人は、酒を団子にすり替えた！　かないませんなあ（笑）。

串田　ところで、「丙辰《へいしん》」というと四十一歳、中央を追われたころですね？

諸田　ええ、このときは密州（山東省）でした。

串田　政争にまきこまれて左遷されたんですから、恨《うら》み言のひとつも出そうなものでしょうが……。

諸田　そこが彼のすごいところです。ここでは省略していますが、後半でも「人《ひと》には悲歓離合有《ひかんりごうあ》り／月《つき》には陰晴円欠有《いんせいえんけつあ》り」と言っています。

串田　「人生は悲喜こもごも、離合集散は、月に満ち欠けがあるようなもの」ってことですね。

諸田　そう思えば、なんだか救われる気がします。

串田　私ね、彼の散文「⑬承天《しょうてん》の夜游《やゆう》を記《き》す」が、大好きなんです。

諸田　「⑭元豊《てんぽう》六年十月十二日、夜、衣《ころも》を解きて睡《ねむ》らんと欲す。月色、戸に入る。

⑬『東坡志林』巻第一「記游」所収。

⑭一〇八三年、蘇東坡四十八歳。四年前の元豊二年に政治批判を理由に投獄され、四ヶ月拘禁された後、黄州（湖北省）に流された。

⑮欣然《きんぜん》として起《た》ちて行く……」で始まる、美しい文ですね。
串田　酒を飲んでベッドに入ったんですが、窓から差し込む月明かりに誘われて、承天寺まで散策するんです。
諸田　四十八歳、やはり左遷されて黄州《こう》（湖北省）にいた時期です。
串田　ここでも不遇を嘆くことなく、淡々と現実を受け入れて、美しい月の光を浴びながら、生きている喜びを享受《きょうじゅ》している……。
諸田　この「水調歌頭」でも、「但《た》だ願《ねが》わくは　人《ひと》の長久《ちょうきゅう》にして／千里《せんり》⑯嬋娟《せんけん》を共《とも》にせんことを」と結んでいます。
串田　「君も僕も長生きをして、この美しい月を共に楽しむ、そんな至福の時間が、いつまでも続きますように」と……。
諸田　美しい月を見ながら、美しい心を通わせる。ホント、いいですね。
串田　酒を飲みながら、ね？
諸田　もちろんです。
⑮喜ぶさま。ここでは「嬉しくなって」という意。
⑯「嬋」も「娟」も、あでやかで美しい意。ここでは美しい月光をいう。

十一月　晩秋の酔貌

酔中《すいちゅう》　紅葉《こうよう》に対《たい》す

白楽天《はくらくてん》①

臨風杪秋樹
対酒長年人
酔貌如霜葉
雖紅不是春

風《かぜ》に臨《のぞ》む　杪《びょう》②秋《しゅう》の樹《き》
酒《さけ》に対《たい》す　長年《ちょうねん》の人《ひと》
酔貌《すいぼう》　霜葉《そうよう》の如《ごと》し
紅《くれない》なりと雖《いえど》も　是《こ》れ春《はる》ならず

◇◇◇◇◇◇

風に吹かれて　揺れる晩秋の木々
酒を前にした　老年のわたし
酔った姿は　まるで霜に打たれた紅葉《もみじ》
紅顔《こうがん》だけど　青春の美少年とは　大違い

①「卯時の酒」二二頁注②参照。
②晩秋。陰暦九月の異名。「杪」は梢《こずえ》。転じて、末。また、年や月の終わり。

串田　十一月ともなれば、だいぶ寒くなりますね。
諸田　ホント、熱燗《あつかん》が恋しい季節です。
串田　一杯ひっかけてきたでしょ？
諸田　バレました？
串田　顔がほんのり紅葉《もみじ》色ですから。
諸田　紅顔の美少年？
串田　どう見ても厚顔の中高年。
諸田　話題を変えましょう。「紅葉《こうよう》」といえば、今では秋の代名詞ですが、元来、秋の葉は「黄葉《こうよう》」だったんです。
串田　そうですね、「紅」はもともと春の色でした。③「千里《せんり》　鶯啼《うぐいすな》いて　緑《みどり》　紅《くれない》に映《えい》ず」ですもんね。
諸田　『万葉集』では、「黄葉」が七十六例、「紅葉」はわずかに一例です。④柿《かきの》本人麻呂《もとのひとまろ》も⑤「春べには花かざし持ち　秋立てば黄葉《もみじ》かざせり」と詠《よ》んでいます。

③「江南の春」一三四頁参照。
④六六〇？〜七二〇？年。飛鳥《あすか》時代の歌人。三十六歌仙のひとり。『万葉集』第一の歌人で、「歌聖」とよばれる。
⑤「（前略）畳《たた》なはる　青垣山《あおがきやま》　山神《やまつみ》の　奉《まつ》る御調《みつき》と　春べには　花かざし持ち　秋立てば　黄葉かざせり（後略）」（『万葉集』巻一）。幾重にも連なる吉野の山々は、山の神からの贈りもの、春には花を髪飾りとして頂き、秋になると黄葉を髪飾りにしている、の意。

串田　平安時代初期まで、秋は「黄葉」が主流だったんですね。それが唐詩の影響で「紅葉」に変わったと……。

諸田　はい。特に平安初期に大流行した白楽天の影響が強いといわれています。

串田　日本には「楓葉《ふうよう》は霜を経《へ》て紅《くれない》なり」という成語がありますが、禅語だけあって説教くさい。

諸田　⑥西郷隆盛《さいごうたかもり》だって「⑦雪《ゆき》に耐《た》えて梅花《ばいか》麗《うるわ》しく／霜《しも》を経《へ》て楓葉《ふうよう》丹《あか》し」、艱難《かんなん》に耐えてこそ、人も自然も美しくなれる、と詠んでいますよ。

串田　人間も苦労しなきゃ一人前になれないって？

諸田　お気に召しませんか？

串田　うざいですね（笑）。

諸田　ところで、この白楽天の詩ですが……。

串田　これって、左遷されたころの作品ですね？

諸田　はい。江州（江西省九江《きゅうこう》市）に左遷されていた時期のものです。

串田　「杪秋《びょうしゅう》」は晩秋の意味でしょうが、「風に臨む樹」というのは……。

⑥一八二八～一八七七年。薩摩《さつま》藩士。大久保利通・木戸孝允《たかよし》とともに、「維新三傑」とよばれる。討幕運動の指導者となり、江戸城を無血開城させた。維新後、征韓論を唱えて入れられず、西南戦争に敗れて自刃した。

⑦「外甥《がいせい》政直に示す」。

⑧「風樹」は、動かずにいようとしても、風が止まず、揺れ動いてしまう樹木。転じて、孝行をしたいと思うときには親はすでに亡く、どうすることもできない嘆きをいう。

⑨『孔子家語《けご》』致思篇

諸田　「⑧風樹《ふうじゅ》の嘆《たん》」を連想させます。

串田　「⑨樹《き》、静かならんと欲すれども風停《や》まず……」。

諸田　「……子《こ》、養わんと欲すれども親《おや》待たず」ですね。

串田　「親孝行、したい時には親はなし」、ですか。これまた説教くさくていただけません。

諸田　まあ、白楽天もいい歳《とし》でしたから、両親ともに亡くなっていましたし。

串田　この時、白楽天は何歳ですか？

諸田　四十七歳です。

串田　当時の平均寿命は六十歳くらいでしたから……。

諸田　七十五歳まで生きた白楽天は、例外的に長生きでした。

串田　陶淵明《とうえんめい》の「⑩連雨独飲《れんうどくいん》」でも少し話題になりましたが、「不惑《ふわく》（四十歳）」はひとつの区切りですね。

諸田　日本でも「⑪四十《しじゅう》の賀《が》」の祝いをしていたようです。

串田　そういえば、『源氏物語』に、光源氏の「四十の賀」のおりに、長寿を祝

の逸話。孔子が斉《せい》国に行く道中、泣き悲しむ男に出会った。男は「自分には三つの過失（親を看取れなかった、驕奢《きょうしゃ》な君主を正せなかった、親友がいない）があるが、この歳で悔やんでもどうしようもない」と述べ、「夫《そ》れ、樹、静かならんと欲すれども風停《や》まず。子、養わんと欲すれども親《おや》待たず。往きて来たらざる者は年なり。再び見る可《べ》からざる者は親なり」と言うや、水に身を投げて死んでしまった。

⑩一四〇頁。

う⑫若菜《わかな》を献上する場面がありましたね。

諸田　かくいう私も、四十を境に、人生観が変わったかもしれません。

串田　誰だったか、「下り坂では、上り坂とは違った景色が見える」と言っていたのを思い出しました。

諸田　確かに。四十を過ぎて下り坂をゆっくり歩き始めると、それまで目に入らなかったものが見えてきたように思います。

串田　私なんかこの年ですから、目がかすんで……（笑）。

諸田　私も同じです。白楽天も四十七歳ですから、当時としてはもう晩年。

串田　樹木に喩《たと》えれば、まさに「晩秋の樹《き》」ですね。

諸田　だからこの詩の前半は、対句《ついく》としてもなかなか巧《うま》いわけです。

串田　後半の「酔貌《すいぼう》　霜葉《そうよう》の如《ごと》し」は、⑬杜牧《とぼく》の名句を連想させますね。

諸田　⑭「霜葉《そうよう》は二月《にがつ》の花《はな》よりも紅《くれない》なり」ですね。

串田　あっ、ここでも「紅」は春の色でした！

諸田　図らずも良い例が出ました。

⑪四十歳のお祝い。当時は四十歳は初老であり、その長寿を祝った。『源氏物語』に先立つ『伊勢物語』にも、すでに「四十の賀」がみえる。

⑫『源氏物語』第三十四帖「若菜」の巻に、光源氏の「四十の賀」の席上、養女の玉鬘《たまかずら》が、若菜を献上し歌を詠んで、源氏の長寿と健康を祈る場面がある。四十の賀では、若菜を食べて長寿を祈念した。

⑬「清明」一二八頁注②参照。

⑭「遠く寒山に上れば／石径《せきけい》斜めなり／白雲生

串田　白楽天のこの詩では、「霜葉」を「二月の花」と比べるんじゃなくて……。

諸田　「酔貌《すいぼう》」、つまり、酔っぱらったオヤジの赤ら顔と比べている。

串田　だから、ちょっと笑えちゃう。説教臭はみじんもない。

諸田　ですけど、こういう白楽天の詩を、嫌う人もいるんです。

串田　どうして？

諸田　ダジャレまで理屈っぽい！　って。

串田　理屈っぽいですか？　「理屈っぽい詩」といえば、唐の次の時代、宋代の詩でしょう？

諸田　ですから、よく白楽天の詩は「宋詩の先取り」だっていわれます。

串田　まあ、私は「老年は楽しい！」っていうポリシーですから、この白楽天の詩は、深刻すぎなくていいと思いますけど。

諸田　同感です。気が合ったところで、どうですか、もう一杯？

串田　いや、止めときます。紅葉《もみじ》より紅《あか》くなったって、からかわれますから。

諸田　じゃ、代わりにおつまみの「若菜《わかな》」をどうぞ。

ずる処《ところ》　人家《じんか》有り／車を停めて坐《そぞ》ろに愛す楓林《ふうりん》の晩《くれ》／霜葉は二月の花よりも紅なり」（杜牧「山行」）。

十二月　燗酒《かんざけ》

冬日田園雑興《とうじつでんえんざっきょう》　其の八

范成大《はんせいだい》①

榾柮《こっとつ》②　煙無《けむりな》く　雪夜長《せつやなが》し
地炉《ちろ》③　酒《さけ》を煨《あたた》めて　暖《あたた》かきこと湯《ゆ》の如《ごと》し
嗔《いか》る莫《な》かれ　老婦《ろうふ》に盤飣《ばんてい》④無《な》きを
笑《わら》いて指《ゆび》さす　灰中《かいちゅう》　芋栗《うりつ》の香《かん》ばしきを

榾柮無煙雪夜長
地炉煨酒暖如湯
莫嗔老婦無盤飣
笑指灰中芋栗香

◇◇◇◇◇◇

煙もたてず　薪《たきぎ》が燃える　長い雪の夜
囲炉裏《いろり》で　燗《かん》した酒は　湯のように暖か
ご馳走がないぞ　などと　老妻を叱《しか》るまい
灰の中には　香《こう》ばしい芋《いも》と栗《くり》とが　あるらしい

①一一二六～一一九三年。呉郡（江蘇省蘇州）の人。字《あざな》は致能。南宋の政治家で、女真《じょしん》族の金《きん》王朝（一一一五～一二三四）に使いした際、金の威嚇《いかく》に屈せず、宋朝の威信を保って名を挙げた。国を憂える愛国詩人でもあるが、晩年の連作「四時田園雑興　六十首」は、農村や農民に温かい理解を示す作品で、田園詩人として名高い。
②ほた（かまどで焚《た》く小枝や木ぎれ）のこと。「榾」も「柮」も「木の切れはし」の意。
③地面に切った囲炉裏。

串田　范成大は蘇州《そしゅう》（江蘇省）の人でしたね。

諸田　はい。だからでしょうか、穏和な人だったといわれます。

串田　前にも杜牧《とぼく》の「江南の春」⑤で話題に出ましたが、蘇州は昔から杭州とともに、温暖で風光明媚《ふうこうめいび》な土地として有名です。

諸田　ユートピア、地上の楽園、といったイメージです。その波及効果でしょうか、今も日本人観光客がひっきりなしです。

串田　日本では「食は広州にあり」だけが有名ですが、実は、その前に、「生まれるなら蘇州、住むなら杭州」とあります。

諸田　⑥「生在蘇州《ションザイスーヂョウ》、住在杭州《ヂュウザイハンヂョウ》、吃在広州《チーザイグワンヂョウ》、死在柳州《スーザイリウヂョウ》」、中国人にとって理想的な人生です。

串田　恐れ入りました（笑）。で、この詩は、その蘇州の農村が舞台。

諸田　退職後、蘇州の別荘に移り住んで、そこで⑦「四時田園雑興《しいじでんえんざっきょう》」と題する六十首もの連作を書きました。この詩もそのうちの一首です。

串田　生まれる場所を選ぶことはできませんが、死ぬ場所は自分の意志で決めら

④「盤」は円形の大皿、「飣」は器に盛る意。ここでは「器に盛った食べ物」のこと。

⑤一三四頁。

⑥「美男美女の多い蘇州に生まれ、風光明媚な杭州に住み、料理の豊かな広州で食し、立派な棺桶を生産する柳州で死ぬ」の意。

⑦「小序」に、「淳熙《じゅんき》丙午《へいご》（一一八六）、沈痾《ちんあ》（長患い）、少しく紓《やわ》らぎ、復《ま》た石湖の旧隠に至る。野外即事、輒《すなわ》ち一絶（一首の絶句）を書す。終歳、六十篇を得、『四時田園雑興』と号す」とある。

れる。范成大は、余生を故郷の別荘で過ごす選択をしたんだ……。

諸田　誰もができるわけではないでしょうが。

串田　のどかな田園生活を営みながら酒を楽しむ、そんな老後が送れるなんて、ホント贅沢《ぜいたく》です。

諸田　そうですね。われわれには望むべくもありません。

串田　でも、彼、あまり酒は強い方じゃなかったとか。

諸田　晩年は病気がちでしたし。でも、嫌いじゃなかったようです。

串田　この詩は六十一歳のときの作とか？

諸田　はい。六十首の内訳は、春日・晩春・夏日・秋日・冬日、それぞれ十二首あります。

串田　いわゆる田園詩？

諸田　ええ、農村での生活をうたった作品です。

串田　この詩の情景、まるで日本って感じがしません？

諸田　だからでしょうか、范成大の詩の中でも、日本人が一番好んだ作品が、こ

⑧焼酎に漬けて日に干した「かき餅」を、みりんに入れて熟成させたもの。

の連作でした。

串田　さもありなん!!　だって、雪の夜、囲炉裏で暖を取りながらの晩酌……。まるで映画に出てくる日本の農村風景でしょう？

諸田　それに、「何か旨《うま》いあてでもないのか」と文句を言うと、老妻がにっこり笑って囲炉裏を指さす……。

串田　「芋と栗が、香ばしく焼けてますよ」ってね。

諸田　何ともほほえましい情景ですよね。

串田　奥さんがいいですねえ。

諸田　同感です。

串田　でも、焼き栗や焼き芋って、酒の肴《さかな》になります？

諸田　好《す》き好《ず》きでしょ。うちのオヤジなんか、霰餅《あられもち》で一杯やってました。

串田　霰《あられ》っていえば、ちょっと脱線ですが、霰酒⑧ってご存じ？

諸田　⑨米朝の落語で聞いたことがあります。奈良の名産ですよね？

串田　⑩蕪村《ぶそん》にも、「炉開《ろびら》きや雪中庵《せっちゅうあん》の霰酒《あられざけ》」という句があります。

⑨三代目桂米朝（一九二五～二〇一五）の「鹿政談《しかせいだん》」のマクラに奈良の名物として、「大仏に、鹿の巻き筆、あられ酒、春日灯籠《どうろう》、町の早起き」という歌が引かれている。

⑩与謝《よさ》蕪村。一七一六～一七八四年。江戸中期の俳人。摂津《せっつ》国毛馬《けま》村（大阪市都島区毛馬町）の人。写実的・絵画的な句を得意とした。陶淵明にあこがれ、「帰去来《ききょらい》の辞」の冒頭「帰去来兮《かえりなんいざ》、田園将《まさ》に蕪《あ》れなんとす、胡《なん》ぞ帰らざる」に因《ちな》んで、「蕪村」を号とした。

諸田　蕪村といえば、この「田園雑興」も、蕪村の俳諧《はいかい》に似ているといわれるんですよ。

串田　やっぱり。「酒《さけ》を煮《に》る家《うち》の女房《にょうぼう》ちょとほれた」、この句、范成大のこの詩がモデルかも。

諸田　あるいは（笑）。

串田　でも、季節が違いますが。

諸田　ああ、そうですね、「酒を煮る」は夏の季語でした。

串田　「煮酒《にざけ》」ね。冬に仕込んだ新酒を、夏（陰暦の五月）に煮るそうですが、それじゃ、アルコールが飛んでしまう……。

諸田　いえ、「煮る」といっても沸騰させるんじゃありません。搾《しぼ》った酒の中にいる微生物を殺せる程度に、暖めただけのようです。

串田　生活の知恵ですね。でも、私が「酒を煮る」で連想するのは、「青梅、酒を煮て英雄を論ず」⑪です。

春鹿　あられ酒
（今西清兵衛商店提供
2015年1月現在）

⑪『三国志演義』第二十一回。曹操が劉備を梅園の宴に招き、器に盛った青梅と梅酒の樽《たる》を前に、天下の英雄について論じていたとき、曹操が劉備に向かって「天下に英雄といえば、あなたと私だけです」と語った場面。

⑫一五五～二二〇年。後漢《ごかん》末の武将。黄巾《こうきん》の乱（一八四）を鎮圧して勢力をのばしたが、赤壁の戦い（二〇〇八）に敗れ、孫権（呉）・劉備（蜀《しょく》）と天下を三分し、二一六年、魏王となって魏王朝の基礎を築いた。

諸田　⑫曹操《そうそう》と⑬劉備《りゅうび》が、「青梅の実」と「梅酒」を前に、梅園で天下の英雄を論じた話ですね。

串田　中国で「酒を煮る」といえば、梅酒⑭を作ることです。

諸田　でも、范成大の詩では「酒《さけ》を煨《あたた》めて　暖《あたた》かきこと湯《ゆ》の如《ごと》し」ですから、やっぱり熱燗のお酒です。

串田　ええ。中国では昔から燗酒の習慣があったんですね。

諸田　「歳時記」八月の王世貞《おうせいてい》「⑮暑《しょ》を山園《さんえん》に避《さ》く」で、中国では冷たい酒は飲む習慣がなかった、身体に悪い、なんてことが話題になりましたが。

串田　ましてや寒い冬には、暖めた酒が一番でしょう。いつごろからか知りませんが、⑯紹興酒《しょうこうしゅ》も暖めて飲みますしね。

諸田　燗酒の歴史は調べてみる価値がありますね。

串田　私は飲む方を担当しますので、調べる方はお任せします。

諸田　はあ？　聞こえませんでした（笑）。

⑬一六一～二二三年。後漢末の武将。蜀漢（二二一～二六三）の初代皇帝。黄巾の乱の鎮圧で功績を挙げ、後漢の滅亡を受け皇帝に即位して蜀漢を建国し、成都（四川省）に都をおいた。

⑭中国の梅酒は「青梅酒」といい、その歴史は古い。青梅の実と黄《ファン》酒《ジウ》（米を原料とする醸造酒）を、陶器の瓶に入れて加熱し、水分を蒸発させて造る。

⑮一五二頁。

⑯一八二頁「おつまみ④」参照。

おつまみ――④紹興酒《しょうこうしゅ》

紹興酒は黄酒《ファンジウ》の代表。正式には浙江省《せっこうしょう》紹興市で造られた老酒《ラオジウ》（黄酒を長期熟成させたもの）だけが「紹興酒」とよばれる。紹興では、女児が誕生すると、父親が紹興酒を仕込んだ甕《かめ》を地中に埋め、娘の結婚当日に掘り出してふるまう習慣があった。

甕に入れて売られる紹興酒

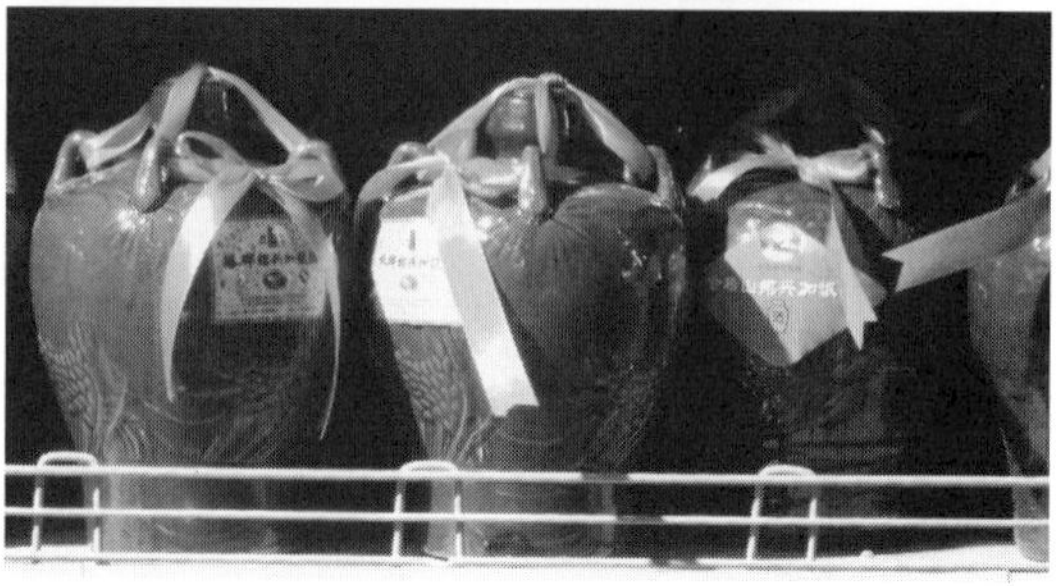

五　再会を期して

最後を飾る一首は、于武陵《うぶりょう》の「酒を勧《すす》む」。「サヨナラ」ダケガ人生ダ、なんて言わないで、〆《しめ》は「再会を期して、乾杯」といきましょう。

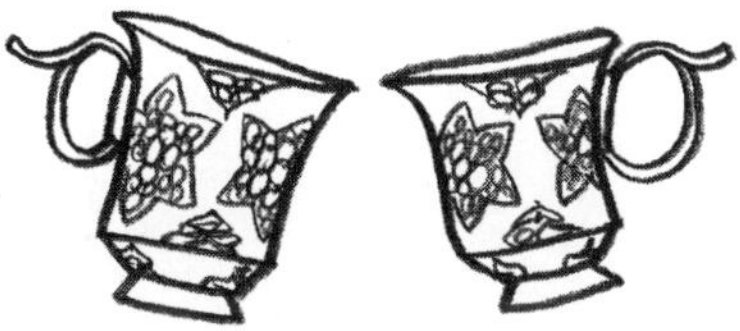

「サヨナラ」ダケガ人生？

酒《さけ》を勧《すす》む　①于《う》武陵《ぶりょう》

君《きみ》に勧《すす》む　②金屈巵《きんくっし》
満酌《まんしゃく》　辞《じ》するを須《もち》いず
花発《はなひら》けば風雨《ふうう》多《おお》し
人生《じんせい》　別離《べつり》足《た》る

勧君金屈巵
満酌不須辞
花発多風雨
人生足別離

◇◇◇◇◇◇

さあ　一杯いこう
遠慮するなよ　ぐーっと飲み干せ
花に嵐はつきものさ
ならば　人に別れはつきものじゃないか

①晩唐の詩人。名は鄴《ぎょう》。杜曲（陝西《せんせい》省西安市の南）の人。

②南宋・孟元老『東京《とうけい》夢華録』巻第九に「御《ぎょ》筵《えん》の酒盞《しゅさん》は皆《み》な屈巵なり。菜碗の如《ごと》き様《かたち》にして、手把子《しゅはし》有り。殿上は純金、廊下は純銀なり（宮中の宴会で用いる盃はすべて屈巵である。お椀のような形で把手《とって》がついている。殿上にいる者は純金製、廊下の者は純銀製を用いる）」とある。

串田　いよいよ最後の一首となりました。③『漢詩の知恵』以来の対談本でしたが、いかがでしたか？

諸田　十一年ぶりということで、私も白髪が増えましたが、今回は酒にまつわる漢詩がテーマで、ワクワクしました。

串田　それにしても、酒を詠《よ》む漢詩はホント多いですね。ごく一部しか取り上げられませんでした。

諸田　人生を語るには酒がつきもの、そういうことでしょうか。

串田　特に中国では、文学は男性のものでしたから。

諸田　女性も詩を愛読しましたが、実際に作るのは、男性が圧倒的でした。

串田　それで、最後に、于武陵《うぶりょう》の「酒《さけ》を勧《すす》む」を選んだわけですが……。

諸田　④井伏鱒二《いぶせますじ》の名訳で有名ですし。

串田　コノサカヅキヲ受ケテクレ／ドウゾナミナミツガシテオクレ
ハナニアラシノタトヘモアルゾ／「サヨナラ」ダケガ人生ダ

諸田　語呂もよくて、ステキですね。

③串田久治・諸田龍美『漢詩の知恵』（二〇〇四年、学研）。

④「長安道」四一頁注⑤及び四二頁注⑥参照。

串田　ただ、どうなんでしょう、最後の一句「『サヨナラ』ダケガ人生ダ」が一人歩きしてません？

諸田　同感です。そこだけ知ってる、という人がほとんどかも。

串田　だからでしょうか、井伏訳では、どうも悲観的な人生観が先行しているように感じられて……。

諸田　そうですね。于武陵の詩は、悲しい詩とも受け取れますが、どちらかといえば、「だからこそ今を楽しもう」という、逆説的な表現でしょう。

串田　花が開けば必ず嵐の日もあるように、人生に別離はつきもの、だからこそ、出会いの喜びもひとしお、と。

諸田　ええ。「一緒に居られる今を、とことん喜ぼう」という心です。この詩が送別会で詠まれたものなら、悲観的に解釈したくもなりますが……。

串田　ひとたび別れたら、二度と会えないかもしれない、そんな時代ですからね。

諸田　でも、今は当時と違いますから、別れても、いつでもまた再会できそうな気がします。

串田　ならば、今風に解釈すれば、「再会を期して、乾杯！」ということになりませんか？

諸田　確かに（笑）。そうなると、井伏訳は誤訳というか、イメージが間違っている可能性もありますよ。

串田　それはまたどうして？

諸田　だいたい「金屈巵《きんくっし》」って、「サカヅキ」というより「ビールジョッキ」みたいな物ですし。

串田　それも黄金製の！　ちっぽけな杯《さかずき》でチビリチビリというより……。

諸田　ジョッキでガブガブです。

串田　そうか、この美しい花の季節に貴方《あなた》とこうして遇《あ》うことができた、さあ、酔いつぶれるまでグビグビやろうじゃないか！　と……。

金屈巵

諸田　中国人って、無常観をバネにして「今」を楽しんじゃうんですよね。

串田　⑤「西門行《せいもんこう》」でも、陶淵明の「飲酒」⑥でもそうでした。

⑤一〇頁。
⑥五二頁、一〇二頁。

諸田　まさしく「中国的快楽主義」です！

串田　ところで、于武陵って、官職に就《つ》かず、放浪してましたよね？

諸田　「就かず」ではなく、「就けず」でしょうけど。晩年は⑦嵩山《すうざん》の南に隠棲《いんせい》しました。

串田　でも、どうやって暮らしていたんでしょうかね。

諸田　今ならニート？　金もないのに……。

串田　それでも、酒はケチらない！

諸田　だって酒は、人と人とがつながるための必需品ですから。

串田　だから、ナミナミと注《つ》いで、「ぐーっと飲み干せ」と勧める。

諸田　で、私もぐーっと飲み干し、「では、返杯を」と、またまたあなたの杯を満たす……。

串田　いやはや、なんとも美味！　こんな光景、最近ではほとんど見られなくなりました。ヤケに上品で静かな宴会ばかりで……。

諸田　強引に勧めると、セクハラとかパワハラになっちゃう。

⑦洛陽《らくよう》の東にある名山。中国五岳のうちの中岳。峻極峰を中央に、東を太室、西を少室と呼ぶ。中岳廟・少林寺などがある。

串田　中国人は今でも強引ですよね。
諸田　ちょっと断りにくいです、中国では。
串田　「断りにくい」ではなくて、「断りたくない」でしょ？
諸田　図星です（笑）。
串田　まあ、「酒は断らない、遠慮しない」、これが、今も昔も、中国的飲酒のマナーですから。
諸田　まさに「満酌《まんしゃく》辞《じ》するを須《もち》いず」です。
串田　では、「ドウゾナミナミツガシテオクレ」。
諸田　あら、ホントに「ナミナミ」だ。ありがとうございます。
串田　じゃあ、次にお会いするのを期して、乾杯しましょう。
諸田　はい。すっかりお世話になった編集部の吉村さんもご一緒に。
串田　では、再会を期して、乾杯!!
三人　乾杯!!

おつまみ――⑤汾酒《フェンジウ》と茅台酒《マオタイジウ》

「白酒《バイジウ》」は蒸留酒で、焼酎《シャオジウ》ともよばれる。なかでも山西省汾陽《ふんよう》県産は「汾酒《フェンジウ》」、貴州省仁懐県茅台鎮《ぼうだいちん》産は「茅台酒《マオタイジウ》」とよばれ、区別される。

◀汾酒　▼茅台酒

二鍋頭《アルグオトウ》は、北京市民が最も愛飲する北京産の白酒。東北地方の紅高粱《ホンガオリャン》を原料とし、二度大鍋で蒸溜するのでこの名がある。

そのほか、小麦・大米《ダーミー》（白米）・玉米《イーミー》（とうもろこし）・糯米《ヌオミー》（餅米）・高粱《ガオリャン》の五穀を醗酵させた「五糧液《ウーリャンイエ》」（四川省）や、「洋河大曲《ヤンハーダーチー》」（江蘇省）、「古井酒《グージンジウ》」（安徽《あんき》省）、「蒙古王《モングーワン》」（内蒙古）などなど、白酒には銘酒が多い。

さらに、「汾酒」に竹の葉をつけ込んだ「竹葉青《チューイエチン》」は、消化促進の薬酒とされる。

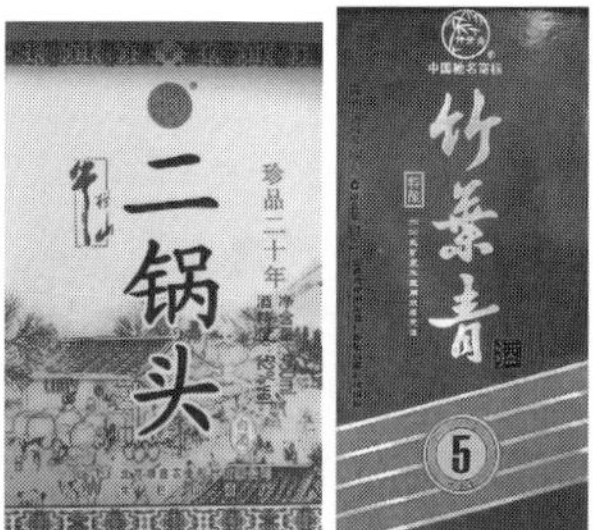

▶二鍋頭（左）と竹葉青

付録

本文で一部を省略した詩について、全句の書き下し文・原文・訳を掲げた。また、本文で紹介した序文二編を収める。

〈付録目次〉

鹿鳴《ろくめい》　『詩経《しきょう》』

呦呦《ゆうゆう》として鹿鳴《しかな》き
野《の》の苹《よもぎ》を食《く》らう
我《わ》れに嘉賓《かひん》有《あ》り
瑟《しつ》を鼓《こ》し笙《しょう》を吹《ふ》かん
笙《しょう》を吹《ふ》き簧《こう》を鼓《こ》し
筐《きょう》を承《ささ》げて是《こ》れ将《おく》らん
人《ひと》の我《わ》れを好《よみ》せば
我《わ》れに周行《しゅうこう》を示《しめ》せよ

呦呦《ゆうゆう》として鹿鳴《しかな》き
野《の》の蒿《よもぎ》を食《く》らう
我《わ》れに嘉賓《かひん》有《あ》り

呦呦鹿鳴
食野之苹
我有嘉賓
鼓瑟吹笙
吹笙鼓簧
承筐是将
人之好我
示我周行

呦呦鹿鳴
食野之蒿
我有嘉賓

徳音《とくおん》　孔《はなは》だ昭《あきら》かなり
民《たみ》を視《み》ること恌《うす》からず
君子《くんし》は是《こ》れ則《のっと》り是《こ》れ傚《なら》う
我《わ》れに旨《うま》き酒《さけ》有《あ》り
嘉賓《かひん》は式《もっ》て燕《えん》し以《もっ》て敖《あそ》ぶ

呦呦《ゆうゆう》として鹿《しか》鳴《な》き
野《の》の芩《きん》を食《く》らう
我《わ》れに嘉賓《かひん》有《あ》り
瑟《しつ》を鼓《こ》し琴《きん》を鼓《こ》す
瑟《しつ》を鼓《こ》し琴《きん》を鼓《こ》し
和楽《わらく》すること且《か》つ湛《ふか》し
我《わ》れに旨《うま》き酒《さけ》有《あ》り
以《もっ》て嘉賓《かひん》の心《こころ》を燕楽《えんらく》す

徳音孔昭
視民不恌
君子是則是傚
我有旨酒
嘉賓式燕以敖

呦呦鹿鳴
食野之芩
我有嘉賓
鼓瑟鼓琴
鼓瑟鼓琴
和楽且湛
我有旨酒
以燕楽嘉賓之心

ユウユウと鹿は鳴き、友を集めて、野《の》に生えたヨモギを食《は》む。わが御殿にも、よき賓客を招き集め、酒《しゅ》肴《こう》を共にする。瑟《こと》を鳴らし笙《ふえ》を吹いてもてなそう。笙を吹《ふ》き簧《ふえ》を鳴らして、贈り物を配ろう。客人よ、わが君を称《たた》えられるなら、国を治める善き道を進言してくだされ。

ユウユウと鹿は鳴き、友を集めて、野に生えたヨモギを食む。わが御殿にも、よき賓客を招き集め、酒肴を共にする。客人はみな有徳の士、手厚い恵みを民に施す。わが君も、客人をお手本にして見習う。ここには旨い酒があります。よき客人よ、寛《くつろ》いでお楽しみくだされ。

ユウユウと鹿は鳴き、友を集めて、野に生えたつる草を食む。わが御殿にも、よき賓客を招き集め、酒肴を共にする。瑟《こと》を鳴らし琴《きん》を鳴らしてもてなそう。瑟を鳴らし琴を鳴らして和《なご》やかに楽しもう。ここには旨い酒があります。よき客人よ、存分に宴《うたげ》をお楽しみくだされ。

西門行《せいもんこう》　　漢代楽《が》府《ふ》

西門《せいもん》を出《い》でて
歩《あゆ》みつつ之《こ》れを念《おも》う
今日《こんにち》　楽《たの》しみを作《な》さざれば
当《まさ》に何《いず》れの時《とき》をか待《ま》つべき
楽《たの》しみを為《な》すに逮《およ》べ
楽《たの》しみを為《な》すに逮《およ》べ
当《まさ》に時《とき》に及《およ》ぶべし
何《なん》ぞ能《よ》く愁《うれ》い怫鬱《ふつうつ》として
当《まさ》に復《ま》た来茲《らいじ》を待《ま》つべけんや
美酒《びしゅ》を醸《かも》し
肥牛《ひぎゅう》を炙《あぶ》らん
請《こ》う　心《こころ》に懽《よろこ》ぶ所《ところ》を呼《よ》び

出西門
歩念之
今日不作楽
当待何時
逮為楽
逮為楽
当及時
何能愁怫鬱
当復待来茲
醸美酒
炙肥牛
請呼心所懽

用《もっ》て憂愁《ゆうしゅう》を解《と》く可《べ》し
人生《じんせい》は百《ひゃく》に満《み》たざるに
常《つね》に千歳《せんざい》の憂《うれ》いを懐《いだ》く
昼《ひる》は短《みじか》く夜《よる》の長《なが》きに苦《くる》しむ
何《なん》ぞ燭《しょく》を秉《と》りて遊《あそ》ばざる
遊行《ゆうこう》して去《ゆ》き去《ゆ》くこと雲《くも》の除《のぞ》かるるが如《ごと》くせん
弊車羸馬《へいしゃるいば》　自《みずか》ら為《た》めに儲《たくわ》えん

西門を出て、歩きながら考える。今日のうちに楽しまなければ、いつまで待てというのか。今すぐ楽しむべきだ。今すぐ楽しむべきだ。今ならまだ間に合う。くよくよ心配して、来年まで待つなんてごめんだね。美味《うま》い酒を作り、上等の牛肉をあぶり、気の合う仲間を呼び集めて、心の憂いを解き放つのだ。

可用解憂愁
人生不満百
常懐千歳憂
昼短苦夜長
何不秉燭遊
遊行去去如雲除
弊車羸馬自為儲

人は百まで生きられない。千年先を心配するなんてナンセンス。昼は短く、夜ばかりがヤケに長い。ならばいっそのこと、灯《あか》りをつけたまま、夜通し遊ぼうではないか。遊べるだけ遊んで、あとは雲が消え去るように、この世を立ち去ればよい。ボロ車と痩せ馬は、そのときのために用意しておこう。

卯時《ぼうじ》の酒《さけ》　白楽天《はくらくてん》

仏法《ぶっぽう》は醍醐《だいご》を讃《ほ》め
仙方《せんぽう》は沆瀣《こうがい》を誇《ほこ》る
未《いま》だ如《し》かず卯時《ぼうじ》の酒《さけ》の
神速《しんそく》にして功力《こうりょく》の倍《ばい》するに
一杯《いっぱい》　掌上《しょうじょう》に置《お》き
三嚥《さんえん》して腹内《ふくない》に入《い》る
煦《あたた》かなること春《はる》の腸《ちょう》を貫《つらぬ》くが若《ごと》く
暄《あたた》かなること日《ひ》の背《せ》を炙《あぶ》るが如《ごと》し
豈《あ》に独《ひと》り支体《したい》の暢《の》ぶるのみならんや
仍《な》お加《くわ》うるに志気《しき》大《おお》いなり
当時《とうじ》　形骸《けいがい》を遺《わす》れ
竟日《きょうじつ》　冠帯《かんたい》を忘《わす》る

仏法讃醍醐
仙方誇沆瀣
未如卯時酒
神速功力倍
一杯置掌上
三嚥入腹内
煦若春貫腸
暄如日炙背
豈独支体暢
仍加志気大
当時遺形骸
竟日忘冠帯

華胥《かしょ》の国《くに》に遊《あそ》ぶに似《に》て
混元《こんげん》の代《よ》に反《かえ》るかと疑《うたが》う
一性《いっせい》　既《すで》に完全《かんぜん》
万機《ばんき》　皆《み》な破砕《はさい》す
半《なか》ば醒《さ》むれば思《おも》い往来《おうらい》す
往来《おうらい》　吁《ああ》　怪《あや》しむ可《べ》し
寵辱《ちょうじょく》　憂喜《ゆうき》の間《かん》に
惶惶《こうこう》たり二十載《にじっさい》
前年《ぜんねん》　紫闥《したつ》を辞《じ》し
今歳《こんさい》　皁蓋《そうがい》を抛《なげう》つ
去《ゆ》け　魚《うお》は泉《いずみ》に返《かえ》り
超然《ちょうぜん》として蟬《せみ》は蛻《ぜい》を離《はな》る
是非《ぜひ》　分別《ぶんべつ》する莫《な》く
行止《こうし》　疑礙《ぎがい》する無《な》し

似遊華胥国
疑反混元代
一性既完全
万機皆破砕
半醒思往来
往来吁可怪
寵辱憂喜間
惶惶二十載
前年辞紫闥
今歳抛皁蓋
去矣魚返泉
超然蟬離蛻
是非莫分別
行止無疑礙

浩気《こうき》　胸中《きょうちゅう》に貯《たくわ》え
青雲《せいうん》　身外《しんがい》に委《ゆだ》ぬ
心《こころ》を捫《な》でて私《ひそ》かに自《みずか》ら語《かた》る
自《みずか》ら語《かた》る　誰《たれ》か能《よ》く会《さと》らん
五十年来《ごじゅうねんらい》の心《こころ》
未《いま》だ今日《こんにち》の泰《やす》きに如《し》かず
況《いわ》んや茲《こ》の杯中《はいちゅう》の物《もの》
行坐《こうざ》に長《なが》く相《あ》い対《たい》するをや

浩気貯胸中
青雲委身外
捫心私自語
自語誰能会
五十年来心
未如今日泰
況茲杯中物
行坐長相対

仏教では醍醐《ヨーグルト》を褒《ほ》め称《たた》え、仙薬の処方では夜半《やはん》の露《つゆ》を自慢する。だが、どちらも朝酒にはかなわない。素早く酔えて効き目も倍。一杯の酒を手のひらに置き、三口《みくち》で飲み干《ほ》す。すると春の陽気が体内を貫いたように暖かく、日光で背中をあぶったように温《あたた》かい。体がのびのびするだけではない。気持ちまで大きくなってくる。酒を飲んでいるときは、自分の体すら忘れるほど自由な気分。まして仕事のことなど、一日中忘れている。まるで華胥《ユートピア》の国に遊び、原始の昔に返ったかのよう。わが本性が完全に満たされると、つまらぬ思慮など砕け散ってしまう。だが、醒めてくるといろいろ考える。考え始めると、ああとため息がもれる。官僚となり、出世や左遷に一喜一憂、慌《あわ》ただしく二十年が過ぎ去った。去年は宮中の勤めを辞め、今年は地方官も放棄した。官界を去るのは、魚が泉の水に帰り、蟬が殻を脱して飛び去るようなもの。だから、その是非に悩むことも、ためらうこともない。自然界の精気を胸中に貯え、出世のことなど運任せ。胸を撫《な》でて自問自答するが、他人にはわかるまい。これまでの五十年間、今ほど心安らぐときはなかった。ましてやこの杯中の好物が、これからはどんなときでも目の前にあるのだから、何という幸せだろう。

金山寺《きんざんじ》にて柳子玉《りゅうしぎょく》と飲《の》み大酔《たいすい》し、宝覚《ほうがく》の禅榻《ぜんとう》に臥《ふ》す。夜分《やぶん》に方《はじ》めて醒《さ》め、其《そ》の壁《かべ》に書《しょ》す。

蘇東坡《そとうば》

悪酒《あくしゅ》は悪人《あくにん》の如《ごと》く
相《あ》い攻《せ》むること刀箭《とうせん》よりも劇《はげ》し
一榻《いっとう》の上《うえ》に頽然《たいぜん》とし
之《こ》れに勝《か》つに戦《たたか》わざるを以《もっ》てす
詩翁《しおう》　気《き》　雄抜《ゆうばつ》に
禅老《ぜんろう》　語《ご》　清軟《せいなん》なり
我《わ》れ酔《よ》うて都《すべ》て知《し》らず
但《た》だ覚《おぼ》ゆ　紅緑《こうりょく》の眩《くるめ》くを
醒《さ》めし時《とき》　江月《こうげつ》は墮《お》ち
摵摵《さくさく》として風響変《ふうきょうへん》ぜり

悪酒如悪人
相攻劇刀箭
頽然一榻上
勝之以不戦
詩翁気雄抜
禅老語清軟
我酔都不知
但覚紅緑眩
醒時江月墮
摵摵風響変

惟《た》だ一《ひと》つの龕燈《がんとう》有《あ》るのみ　　惟有一龕燈
二豪《にごう》は倶《とも》に見《み》えず　　二豪倶不見

グルグル廻《まわ》り、見えたのはそれだけ。目覚めると、月は川に沈み、カサカサと窓打つ風の響きも変わっていた。ただ仏前の灯明《とうみょう》がひとつ燃えているばかり。果たして、二人の豪傑は、どこかへ消えていた。

悪い酒は悪人のようだ。刀や矢よりも激しく私を攻め立てる。坐禅台にぐったり横たわった私は、酒に勝つため、無抵抗を決め込む。老詩人の柳さんは元気いっぱい、老禅師の宝覚さんも穏やかに高尚なお話。酔っぱらった私は何もわからず、赤や緑の光が

飲酒《いんしゅ》　序《じょ》　陶淵明《とうえんめい》

余《わ》れ閑居《かんきょ》して歓《よろこ》び寡《すく》なく、兼《か》ねて比《この》ごろ夜《よる》已《すで》に長《なが》し。偶ゝ《たまたま》名酒《めいしゅ》有《あ》り、夕《ゆう》べとして飲《の》まざる無《な》し。影《かげ》を顧《かえ》りみて独《ひと》り尽《つ》くし、忽焉《こつえん》として復《ま》た酔《よ》う。既《すで》に酔《よ》いし後《のち》には、輒《すなわ》ち数句《すうく》を題《だい》して自《みずか》ら娯《たの》しむ。紙墨《しぼく》遂《つい》に多《おお》く、辞《じ》に詮次《せんじ》無《な》し。聊《いささ》か故人《こじん》に命《めい》じて之《こ》れを書《しょ》せしめ、以《もっ》て歓笑《かんしょう》と為《な》さんのみ。

余間居寡歓、兼比夜已長。偶有名酒、無夕不飲。顧影独尽、忽焉復酔。既酔之後、輒題数句自娯。紙墨遂多、辞無詮次。聊命故人書之、以為歓笑爾。

私はひっそり暮らしていて楽しみも少ない。しかもこのごろは夜も長くなってきた。たまたま名酒が手に入ったので、毎晩飲んでいる。影法師を相手に独《ひと》りで飲み干すと、たちまち酔っぱらってしまう。酔ったあとは、いつも数句の詩を書いて楽しんだ。そうして書いた詩が、いつしか溜《た》まったが、言葉はバラバラ、何の脈略もない。ともかく友人に頼んで書き写してもらった。お笑い草にと思って。

北窓《ほくそう》の三友《さんゆう》

白楽天《はくらくてん》

今日《こんにち》　北窓《ほくそう》の下《もと》
自《みずか》ら問《と》う　何《なん》の為《な》す所《ところ》ぞ
欣然《きんぜん》として三友《さんゆう》を得《え》たり
三友《さんゆう》なる者《もの》は誰《たれ》とか為《な》す
琴罷《きんや》めば　輒《すなわ》ち　酒《さけ》を挙《あ》げ
酒罷《さけや》めば　輒《すなわ》ち　詩《し》を吟《ぎん》ず
三友《さんゆう》　遞《たが》いに相《あ》い引《ひ》き
循環《じゅんかん》して　已《や》む時無《ときな》し
一《ひと》たび弾《ひ》けば　中心《ちゅうしん》　愜《こころよ》く
一《ひと》たび詠《えい》ずれば　四支《しし》暢《の》ぶ
猶《な》お中《なか》に間《かん》有《あ》るを恐《おそ》れ
酔《よ》いを以《もっ》て之《こ》れを弥縫《びほう》す

今日北窓下
自問何所為
欣然得三友
三友者為誰
琴罷輒挙酒
酒罷輒吟詩
三友遞相引
循環無已時
一弾愜中心
一詠暢四支
猶恐中有間
以酔弥縫之

豈《あ》に独《ひと》り吾《わ》が拙《せつ》のみ好《よろ》しからんや
古人《こじん》も多《おお》く斯《か》くの若《ごと》し
詩《し》を嗜《たしな》むは淵明《えんめい》有《あ》り
琴《きん》を嗜《たしな》むは啓期《けいき》有《あ》り
酒《さけ》を嗜《たしな》むは伯倫《はくりん》有《あ》り
三人《さんにん》は皆《み》な我《わ》が師《し》
或《ある》いは担石《たんせき》の儲《ちょ》に乏《とぼ》しく
或《ある》いは帯索《たいさく》の衣《ころも》を穿《うが》つ
絃歌《げんか》し復《ま》た觴詠《しょうえい》す
道《みち》を楽《たの》しみて帰《き》する所《ところ》を知《し》る
三師《さんし》　去《さ》りて已《すで》に遠《とお》く
高風《こうふう》　追《お》う可《べ》からず
三友《さんゆう》　游《ゆう》　甚《はなは》だ熟《じゅく》し
日《ひ》として相《あ》い随《したが》わざる無《な》し

豈独吾拙好
古人多若斯
嗜詩有淵明
嗜琴有啓期
嗜酒有伯倫
三人皆我師
或乏担石儲
或穿帯索衣
絃歌復觴詠
楽道知所帰
三師去已遠
高風不可追
三友游甚熟
無日不相随

左《ひだり》に白玉《はくぎょく》の卮《さかずき》を擲《なげう》ち
右《みぎ》に黄金《おうごん》の徽《き》を払《はら》う
興《きょう》 酣《たけなわ》にして紙《かみ》を畳《たた》まず
筆《ふで》を走《はし》らせて狂詞《きょうし》を操《あやつ》る
誰《たれ》か能《よ》く此《こ》の詞《し》を持《じ》し
我《わ》が為《ため》に親知《しんち》に謝《しゃ》せん
縦《たと》い未《いま》だ以《もっ》て是《ぜ》と為《な》さざるも
豈《あ》に我《わ》れを以《もっ》て非《ひ》と為《な》さんや

左擲白玉卮
右払黄金徽
興酣不畳紙
走筆操狂詞
誰能持此詞
為我謝親知
縦未以為是
豈以我為非

今日、北の窓辺でゆったりする。さて何をしようか、自分に問いかける。嬉しいことに三友を得た。三友とは誰のこと？　琴《こと》を弾《ひ》き終わったら、酒を手に取り、酒を飲み干《ほ》したら、詩を口ずさむ。三友が代わりばんこにやって来て、ぐるぐる回って、止《と》まらない。ひとたび琴を弾けば、心はうっとり。ひとたび詩を口ずさめば、体はゆったり。それでも途中に隙《すき》間《ま》ができるのはイヤ、だから酒に酔って間《あいだ》を繕《つくろ》う。世渡り下手を楽しむのは私だけ？　いやいや、昔から大勢おりました。詩が好きだったのは陶淵明。琴が好きだったのは栄敬期《えいけいき》。酒が好きだったのは劉伶《りゅうれい》。三人はみな私の師匠。わずかな蓄えもなかったり、索《なわ》を帯にする粗末な服を着たり。でもみんな、絃《ひ》いたり歌ったり、酒を飲んだり詩を吟じたり。真の道に生きることを楽しみ、人生の行き着くべき所を知っていた。三先生はすでに遠い存在、その気高い風格には及びもつかない。しかしこの三友とは篤《あつ》い交遊、毎日わたしと一緒に居てくれる。左手で白《はく》玉《ぎょく》の杯を投げると、右手で黄金の琴を弾《はじ》くという具合。興が乗ってくると折り目もつけない紙に、気ままに筆を走らせ、でたらめを書きつける。誰かそれを親戚や知人の所へ持ってゆき、代わりに挨拶してきてくれないか。私の暮らしを良いと賞《ほ》めてはくれなくても、間違っていると非難する者は誰もおるまいて。

陶潜《とうせん》の体《たい》に効《なら》う詩《し》　序　白楽天《はくらくてん》

余《わ》れ渭《い》の上《ほとり》に退居《たいきょ》し、門《もん》を杜《と》じて出《い》でず。時《とき》に多雨《たう》に属《ぞく》し、以《もっ》て自《みずか》ら娯《たの》しむ無《な》し。会〻《たまたま》家《か》醞《うん》 新《あら》たに熟《じゅく》し、雨中《うちゅう》に独《ひと》り飲《の》む。往往酣酔《おうおうかんすい》して、終日《しゅうじつ》醒《さ》めず。懶放《らんぽう》の心《こころ》、弥〻《いよいよ》自得《じとく》するを覚《おぼ》ゆ。故《ゆえ》に此《こ》れに得《え》て以《もっ》て彼《か》れに忘《わす》るる者《もの》有《あ》り。因《よ》りて陶淵明《とうえんめい》の詩《し》を詠《えい》じ、適〻《たまたま》意《い》と会《あ》い、遂《つい》に其《そ》の体《たい》に倣《なら》いて、十六首《じゅうろくしゅ》を成《な》す。酔《すい》中《ちゅう》の狂言《きょうげん》、醒《さ》むれば輒《すなわ》ち自《みずか》ら哂《わら》う。然《しか》れども我《わ》れを知《し》る者《もの》は、亦《ま》た隠《かく》すこと無《な》し。

余退居渭上、杜門不出。時属多雨、無以自娯。会家醞新熟、雨中独飲。往往酣酔、終日不醒。懶放之心、弥覚自得。故得於此而有以忘於彼者。因詠陶淵明詩、適与意会、遂倣其体、成十六首。酔中狂言、醒輒自哂。然知我者、亦無隠焉。

私は渭水《いすい》のほとりに閑居し、門を閉ざして外出しないでいた。折から雨の日が続き、心が楽しくなるようなこともない。たまたま自家製の新酒が熟したので、雨の中、ひとりで飲んでいると、すっかりいい気分に酔っ払ってしまい、一日中醒めることがない。ものぐさでずぼらな我が心は、ますます満ち足りた気持ちになる。酔い心地の中でこそ会得《えとく》できる境地や、忘れられる憂いがあるのだ。そこで、陶淵明の詩を詠じてみたところ、ぴたりと我が意にかなうものがあり、陶淵明のスタイルに倣《なら》って十六首の詩を作ってみた。もとより酔った上での戯《ざ》れごと、醒《さ》めて読み返せば、どれも我ながらお笑い草。だが、私のことを理解してくれている者には、隠す必要もあるまい。

陶潜《とうせん》の体《たい》に効《なら》う詩《し》　其《そ》の五《ご》

朝《あさ》にも亦《ま》た独《ひと》り酔《よ》うて歌《うた》い
暮《くれ》にも亦《ま》た独《ひと》り酔《よ》うて睡《ねむ》る
未《いま》だ一壺《いっこ》の酒《さけ》を尽《つ》くさざるに
已《すで》に三独酔《さんどくすい》を成《な》す
嫌《きら》う勿《なか》れ　飲《の》むこと太《はなは》だ少《すく》なきを
且《か》つ喜《よろこ》ぶ　歓《かん》の致《いた》し易《やす》きを
一盃《いっぱい》　復《ま》た両盃《りょうはい》
多《おお》きも三四《さんし》を過《す》ぎず
便《すなわ》ち心中《しんちゅう》の適《てき》を得《う》れば
尽《ことごと》く身外《しんがい》の事《こと》を忘《わす》る
更《さら》に復《ま》た一盃《いっぱい》を強《し》い
陶然《とうぜん》として万累《ばんるい》を遺《わす》る

白楽天《はくらくてん》

朝亦独酔歌
暮亦独酔睡
未尽一壺酒
已成三独酔
勿嫌飲太少
且喜歓易致
一盃復両盃
多不過三四
便得心中適
尽忘身外事
更復強一盃
陶然遺万累

一飲一石《いちいんいっこく》なる者《もの》は
徒《いたずら》に多《おお》きを以《もっ》て貴《とうと》しと為《な》す
其《そ》の酩酊《めいてい》の時《とき》に及《およ》びては
我《わ》れと亦《ま》た異《こと》なる無《な》し
笑《わら》いて謝《しゃ》す　多《おお》く飲《の》む人《ひと》
酒銭《しゅせん》　徒《いたずら》自に費《つい》やすを

一飲一石者
徒以多為貴
及其酩酊時
与我亦無異
笑謝多飲人
酒銭徒自費

朝もひとりで酔って歌い、夜もひとりで酔って眠る。まだ一壺《ひとつぼ》の酒を飲み尽くさぬうちに、もう三度もひとりで酔っぱらった。飲む量が少ない、などと言うなかれ。飲めばすぐ楽しくなれるなんて嬉しいじゃないか。一杯、また二杯、多くても三・四杯を越えない。それでもうすっかり良い気分、余計なことはすべて忘れる。さらにもう一杯やると、うっとりとしてイヤなこともすべて忘れる。大酒飲みは、多ければ多いほどよいというが、酩酊してしまえば、私とちっとも変わらない。チャンチャラおかしい、大酒飲みは、ただ酒代がかさむだけ。

連雨独飲《れんうどくいん》　陶淵明《とうえんめい》

運生《うんせい》は会《かなら》ず尽《つ》くるに帰《き》す
終古《しゅうこ》　之《こ》れを然《しか》りと謂《い》う
世間《せけん》に松喬《しょうきょう》有《あ》らば
今《いま》に於《お》いて定《はた》して何《いず》れの間《かん》にかあらん
故老《ころう》　余《わ》れに酒《さけ》を贈《おく》り
乃《すなわ》ち言《い》う　飲《の》めば仙《せん》を得《え》んと
試《こころ》みに酌《く》めば百情《ひゃくじょう》遠《とお》く
觴《さかずき》を重《かさ》ぬれば忽《たちま》ち天《てん》を忘《わす》る
天《てん》　豈《あ》に此《こ》こを去《さ》らんや
真《しん》に任《まか》せて先《さき》んずる所《ところ》無《な》し
雲鶴《うんかく》　奇翼《きよく》有《あ》り
八表《はっぴょう》をも須臾《しゅゆ》にして還《めぐ》る

運生会帰尽
終古謂之然
世間有松喬
於今定何間
故老贈余酒
乃言飲得仙
試酌百情遠
重觴忽忘天
天豈去此哉
任真無所先
雲鶴有奇翼
八表須臾還

我《わ》れ茲《こ》の独《どく》を抱《いだ》いてより
僶俛《びんべん》すること四十年《しじゅうねん》
形骸《けいがい》は久《ひさ》しく已《すで》に化《か》するも
心在《こころあ》り　復《ま》た何《なに》をか言《い》わん

自我抱茲独
僶俛四十年
形骸久已化
心在復何言

生命《いのち》には必ず終わりが来る。昔から「その通りだ」といわれてきた。この世には赤松子《せきしょうし》・王子喬《おうしきょう》という仙人がいるというが、今はいったいどこにいるのやら。村の長者が私に酒を贈ってくれ、「これを飲めば仙人になれますぞ」という。試しに酌んで飲むと、あらゆる俗情は遠く消え去り、さらに盃を重ねると仙界のことなど忘れてしまった。本物の仙界に行ってもこの心地に近いはず、自然に身をまかせて無我の境地になる。仙人が乗る雲鶴は、不思議な翼を持ち、遠い宇宙の果てまで、わずかな時間で飛んでこられるというが、今の気分は、まさにそれ。私はこの独自性を抱きながら、四十年間、励《はげ》み勉《つと》めてきた。肉体はもうとっくに老化したが、精神はまだ健在なのだから、それで充分ではないか。

水調歌頭《すいちょうかとう》　蘇東坡《そとうば》

明月《めいげつ》　幾時《いつ》よりか有《あ》る
酒《さけ》を把《と》りて青天《せいてん》に問《と》う
知《し》らず　天上《てんじょう》の宮闕《きゅうけつ》
今夕《こよい》　是《こ》れ何《いず》れの年《とし》なるかを
我《わ》れ風《かぜ》に乗《の》りて帰去《ききょ》せんと欲《ほっ》すれど
惟《た》だ恐《おそ》る　瓊楼玉宇《けいろうぎょくう》の
高《たか》き処《ところ》　寒《かん》に勝《た》えざらんことを
起《た》ちて舞《ま》い　清影《せいえい》を弄《ろう》すれば
何《なん》ぞ人間《じんかん》に在《あ》るに似《に》ん
朱閣《しゅかく》に転《てん》じ
綺戸《きこ》に低《た》れ

明月幾時有
把酒問青天
不知天上宮闕
今夕是何年
我欲乗風帰去
惟恐瓊楼玉宇
高処不勝寒
起舞弄清影
何似在人間
転朱閣
低綺戸

眠《ねむ》り無《な》きを照《て》らす
応《まさ》に恨《うら》み有《あ》るべからざるに
何事《なにごと》ぞ長《とこし》えに別時《べつじ》に向《お》いて円《まど》かなる
人《ひと》には悲歓離合《ひかんりごう》有《あ》り
月《つき》には陰晴円欠《いんせいえんけつ》有《あ》り
此《こ》の事《こと》　古《いにしえ》より全《まっと》うし難《がた》し
但《た》だ願《ねが》わくは　人《ひと》の長　久《ちょうきゅう》にして
千里《せんり》　嬋娟《せんけん》を共《とも》にせんことを

明月よ、お前はいつからそこで輝いているのか。酒杯を手にし、天に向かって問うてみた。いったい天上の宮殿では、今夜はどんな年の中秋節にあたるのだろう。風に乗ってそこまで飛んで行きたいが、月界の玉殿はあまりに高い所、寒くて耐えられまい。

照無眠
不応有恨
何事長向別時円
人有悲歓離合
月有陰晴円欠
此事古難全
但願人長久
千里共嬋娟

そこで、立ち上がり、月明かりの下で、自分の影と戯れ踊っていると、人間界のこととは思われない。月光は朱ぬりの楼閣を移り行き、綺麗な戸口の中まで差し込み、眠れない人の姿を照らす。月に悪意はなかろうに、どうしていつも、別れのときにばかり、団円の満月なのか。人には、出会いと別れの、喜び悲しみがあり、月には、晴れと曇り、満ち欠けがある。人と月との双方が、同時に「団円」を満たすのは、昔から難しいこと。であれば、願うのはただ、わが愛する弟子由《しゅう》が、千里のかなたにいても、いつまでも元気で、この美しい満月を、私と同じように眺めてくれること。

[著者紹介]

串田久治（くしだ　ひさはる）
1950年、大阪に生まれる。大阪大学大学院文学研究科博士後期課程中退。桃山学院大学教授。専攻は中国哲学、中国社会思想史。大阪大学博士（文学）。著書に『中国古代の「謡」と「予言」』（創文社）、『儒教の知恵』（中公新書）、『漢詩の知恵』（共著、学研）など。

諸田龍美（もろた　たつみ）
1965年、静岡に生まれる。九州大学大学院文学研究科博士後期課程退学。愛媛大学教授。専攻は中国古典文学。九州大学博士（文学）。著書に『白居易恋情文学論』（勉誠出版）、『中国文学講義』（共著、中国書店）、『漢詩の知恵』（共著、学研）など。

漢詩酔談《かんしすいだん》——酒《さけ》を語《かた》り、詩《し》に酔《よ》う

NDC921/vi, 216p / 19cm

初版第1刷——2015年6月10日

著者——串田久治《くしだひさはる》／諸田龍美《もろたたつみ》
発行者——鈴木一行
発行所——株式会社 大修館書店
〒113-8541東京都文京区湯島2-1-1
電話03-3868-2651（販売部）　03-3868-2290（編集部）
振替00190-7-40504
[出版情報] http://www.taishukan.co.jp

装丁者——クリエイティブ・コンセプト／イラスト 山本重也
印刷所——横山印刷
製本所——司製本

ISBN978-4-469-23277-6　Printed in Japan

好評発売中

あじあブックス

王朝滅亡の予言歌

古代中国の童謡

串田久治　著

本体1600円（四六判・216頁）

「童謡」で読む漢代宮廷権力闘争のドラマ

無邪気な子どもたちの歌、というイメージとは裏腹に、隠喩やブラックユーモアを駆使して権力者を揶揄し呪う歌——それが中国の童謡である。激動の古代史を彩る数々の童謡を読み解けば、人々の恨み、悲しみ、期待、希望……切なる思いが浮かび上がってくる。

壺中天酔歩

中国の飲酒詩を読む

沓掛良彦　著

本体2400円（四六判・306頁）

酒を得れば詩自《おの》ずから成る

陶淵明・李白・杜甫……詩と酒、詩人と酒は、切っても切れない縁にある。『詩経』から清末・民国期の作品まで、古今東西に冠たる「詩酒合一」の境地を示す中国の飲酒詩の世界を、ときに時空を超えて逍遥する、枯骨閑人先生の古典詩エッセイ。

定価＝本体＋税　大修館書店